劉福春・李怡 主編

民國文學珍稀文獻集成

第四輯
新詩舊集影印叢編　第149冊

【鍾紹虞卷】

離別之夜

上海：泰東圖書局 1928 年 4 月出版

鍾紹虞 著

花木蘭文化事業有限公司

國家圖書館出版品預行編目資料

離別之夜／鍾紹虞 著 -- 初版 -- 新北市：花木蘭文化事業有限公司，
2023〔民 112〕
206 面；19×26 公分
（民國文學珍稀文獻集成・第四輯・新詩舊集影印叢編　第 149 冊）
ISBN 978-626-344-144-6（全套：精裝）
831.8　　　　　　　　　　　　　　　　　　　　　111021633

ISBN-978-626-344-144-6

9 786263 441446

民國文學珍稀文獻集成・第四輯・新詩舊集影印叢編（121-160 冊）
第 149 冊

離別之夜

著　　者　鍾紹虞
主　　編　劉福春、李怡
企　　劃　四川大學中國詩歌研究院
　　　　　四川大學大文學學派
總 編 輯　杜潔祥
副總編輯　楊嘉樂
編輯主任　許郁翎
編　　輯　張雅淋、潘玟靜　美術編輯　陳逸婷
出　　版　花木蘭文化事業有限公司
發 行 人　高小娟
聯絡地址　235 新北市中和區中安街七二號十三樓
　　　　　電話：02-2923-1455／傳真：02-2923-1452
網　　址　http://www.huamulan.tw 信箱 service@huamulans.com
印　　刷　普羅文化出版廣告事業
初　　版　2023 年 3 月
定　　價　第四輯 121-160 冊（精裝）新台幣 100,000 元　　版權所有・請勿翻印

離別之夜

鍾紹虞 著

作者生平不詳。

泰東圖書局（上海）一九二八年四月出版。
原書三十二開。影印所用底本封面缺。

離別之夜

鍾紹虞著

待名叢書

上海泰東圖書局印行

1928

本册的封面和挿圖，都承吳青介兄繪贈的，特此敬祝他的新婚燕爾

紹虞

獻　詩

一代序一

『人生在世不稱意，明朝散髮弄扁舟！』

一篙撐去浪濤裡，滌盡胸襟萬古愁；

萬古愁，恨悠悠！

填海枉勞精衛苦；補天難釋杞人憂！長嘯

仰空隨日逝，馮虛復次步瓊樓。

——君不見

白楊叢下名利客，富貴能存幾度秋？

又不見——

春盡花殘失意人；一坯黃土瘞風流！惟問

底事能千古，『昨日少年今白頭：』

十六年雙十節
紹廎誌于滬上．

目　次

上　集

孤　　獨

　　他近來越發的孤獨了，簡直變成一個大自然的寵兒，世人與他中間，介隔着一壁很牢固的屏障。

　　當薄霧濛濛的殘照裏，他必沿着楊槐成陰的夾道信步馳去，一直到僻靜無人的地方，斜倚着那極古怪的樹幹，呆呆地瞪視着堤下的溪流，很久很久的……在他那縹緲的心境中，似覺有許多起伏無定的皺痕，然而，却像那荼無頭緒的

絲梦！　後來，暮鴉「呀呀」的狂叫起來了，才驚破了他的迷夢，於是長吁一聲："*Oh, wilderness were paradise enow!*" 從眼眶中滴出幾行清淚；其實他自己也不很明白這到底為甚?!

他覺得在這個寧靜的陰林中，蘊藏有永的生趣，所以整日的他祇是盤桓在這個所在，天水相映的回光，直射在他那清瘦呈蒼白色的面上，越襯得他的形色慘淡。　他手中常握着一册 *Rubalyat of omer Khayyam*，一看到下面幾段——

With me along the strip of Herbage strown.

That just divides the desert from the sown,

Where name of slave and sultan is forgot—

And peace to mahmud on his golden Throne!

— 2 —

A Book of Verses underneath the Bough,

A jug of wine, a Loaf of Bread and Thou

Beside me singing in the wilderness—

Ah, wilderness were Paradise enow!

Some for the Glories of This world; and some

Sigh for the Prophet's Paradise to come;

Sh, take the Cash, and let the Credit go,

Nor heed the rumble of a distant Drum!

Look to the blowing Rose about us—"Lo,

"Laughing", she says, "into the world I blow,

"At once the silken tassll of my Purse

"Tear, and its Treasure no the Garden

throw."

— 3 —

　　他一定高聲歌吟好幾番，直到後來他仰空
長嘯了！　隱約中似乎那儲滿白雲的太空，站立
着一個絕美的「愛之神」，正背弓搭箭不斷的
在那兒跳舞，從蘋果色的裙角處，有時呈露她的
白嫩的肌膚；那悠久無窮的大自然，也隨跟着向
他點頭。　他回顧四周的草木，也正默默的向他
微笑。　他樂極了！　毫無忌憚的開口吟道——

　　身比黃花霜露侵，精靈難昧費追尋！
　　青琴絕調原誰曉？絲醅澆愁且自酣。
　　終古常新惟皎日，永恆為侶是陰林。
　　有閒時送烟波逝，細數濛濛薄霧沉。

　　往復的念誦着。　後來，他覺得心中蘊結的
煩惱在此大自然中澆盡了，任情的狂笑了一番。
從草地上拾起他近來不離片刻的侶伴——酒

戾，向着樹梢的歸宿鳥高呼道：

　　——呵！　鳥呀！　能來和我「浮一大白」嗎？

　　從他的清瘦呈著蒼白色的臉上，滿浮着適意的神情；不一忽他竟至沉醉橫倒在蓼草上。　據他的體魄說來，似乎不應該這樣的戕殺，但是…

　　他近來越發消瘦得可憐了。

　　在他的早熟性情中，留下一個難以自範的罪過，縱在事後有無限的懊悔，但這祇是暫時的，對於他那浪漫性情是常失了效能。　每當一番刺激後，那種難以自範的罪過，越發的重犯了。

　　學校裏的功課，不用說他感覺得像咀蠟似的，近來也少有去上堂了；也許在那主要課程時去一遭，然而，在他奇疑擁塞的心境中，總會有不明其妙的感覺，——教授的鼓勵話，同學們閃

— 5 —

爍的眼光，他總認爲是專在指責他，猥褻他，……終於使他的兩頰發赤了，於是不得不匆忙低下頭去。 他的心靈奔越了，正如飛雲逝電一般的；好容易等到「噹，噹」一聲一聲的下堂鐘響了，他正如死囚一般從不幸中獲得自由，連教授退堂的一刻他都等不得，匆忙的跑出學校去。

他跑得氣喘了，額上的汗珠，恰同雨點一般的滴下；像天堂似的陰林，又有了他的呼吸，從脇下取出儲書的皮夾，噗的一聲摔在地面：「撈什子，撈什子！」 他這樣的罵了一陣，似乎才能夠雪去適間的恥辱。

暮煙又籠罩下來了。 淡淡無雲的天堂，已模糊着幾點疎星，那夜正是上弦時節，他指望着有一彎新月呈現，但仍舊是霧煙濃重，把四周都變成陰霾森嚴了，祇有——習習的涼風吹着，唧唧的虫聲嚷着，他不禁仰空高叫道：——

娟娟的新月，你正是——

　愛神般的柔美，

　詩人般的恬靜，

　處女般的嫵媚，

清風為你蕩漾着；

蓼草為你跳舞着，

蟋蟀為你歌着唱，

・・・・・・・・・・・・・・・・・・

這一幅自然的美景，總須你

皎潔的照澈才有幽趣！

　從淒涼風裏傳播來陣陣笑語，剌激到他那
敏銳的神經，陡然感覺着很奇怪似的，於是，他
匆忙的屈下身子躲藏在大可數抱樹幹後；那笑
語越發的切近了，走過了兩個黑影；他更注意
了，注意到那倆的談話：

　——我真等得有些不耐煩了！

——像這樣的黑夜我都偷着出來，你還不耐煩嗎？ 況且太太剛出門呢！ 一種很氣忿忿的說。

——你怎末又生氣了？

——看是誰個先生氣嗎！

——好！ 我給你陪個不是。 說着便跪了下來。

——沒有見過你這樣不值錢的舉動，誰希罕？ 家中還有事體呢！ 說着噗的笑了。

——我的愛呵！……

接吻聲，解衣聲，……連續不斷的響着。接着又是一陣氣喘喘的談話：

——你，……你……你快一點，恐怕有人來看見不好！

——我……我……我曉得，一忽兒便好了！

談話到是模糊了，那喘氣的聲息却越發的

—— 8 ——

急促了，地面上落葉有時也息索息索｝響着，過了一陣，一切纔歸沉寂。

他的心情緊張到十二分了，四肢已顫抖着；直到後來那倆去後，他才緩緩的回復些來，恰好蛾眉般的新月呈現在她那終古常恆的軌道上，從樹枝疎縫處映照到他的面上，那種清瘦呈蒼白的臉色更加難看了，他於是匆忙的跑回宿舍，卸去外衣，蒙着頭便睡去；直到第二天午前十點時候，他才醒來，然而仍是懶懶的。

在一抹斜陽裏，他感覺頭重得很，順手在書架上取出了一部「十三經」斜倚牀頭一陣的亂翻，後來，他看見了「邶風，式微章」，便高聲讀道：

式微式微，胡不歸？　微君之故，胡爲乎中露？

式微式微，胡不歸？ **微君之躬，胡為乎泥中？**

他不禁拋書說着：「像你這樣意思淺薄的低能兒，像你這樣孤僻成性的白癡，…你能夠回到那兒去？ 故園？ 是回去不得的！ 你那愛惡等差的父母誠然能從天性中來曲諒你，但那些目不識丁祇知讀書當做官的鄉黨，恐怕不能歡迎你這落伍還鄉的人罷!? 也許還得蔑視你呢！ …」他一陣亂想，直到淌下數行清淚。

在這種情形之下，他最能回憶他兒時到去年來的生活，最難忘的是在 Y. T. 小學最末的一年；他認定在他的生命史上最可紀念的一回事。

那年他正十四歲。 一個奇冷森嚴的冬夜，他夢見他的女友蓮妹，從極樂歡怡中一驚醒來，駭得他不敢則聲，肢體軟弱得來像患過劇病似的；第二天他仍感覺得十分疲乏，在下課之後，

— 10 —

祇得蒙頭便睡，

　　Y.T.小學是W鎮商辦的，校址便在鎮上；他的父親是Y.T.小學的名譽校長，所以他領受些特別待遇．他的寢室外，正是蓮妹家的後壩，一開窗屜，他們便可以對面談話，因此，從他倆相識以後，却常常把這個窗屜當着門戶。

　　在一個星月燦爛的秋夜，她在窗下悄悄的叫道：「鷗哥鷗哥！」　他匆忙的開了窗屜去問她：「什麼事？　蓮妹！」　她不斷的招手叫他過去，他便一跳的立在她的面前，熱烈地接吻一番，携手坐在那株柏樹下：

　　——鷗哥！　像這樣的月夜真個難得的呵！

　　——是的！　你父母哪？

　　——媽媽，到外婆家裏去了。　爸爸，又賭錢去了，不知道今晚回家不回家？

　　——你一個人不害怕嗎？

— 11 —

——小妹妹沒有同媽去；現在她已經睡了。

——妹妹，你今天讀英文沒有？

——英文嗎？　她抿着口嘻嘻的笑了。

——笑甚麼？　笑甚麼？　他用手摟着她的腰。

——……嘻！嘻！嘻！　她用手在腰間亂撥。

——你不對我說是不饒你的。

——鷗哥！我說！我說！……

——那末，你快說罷！　他放鬆了手，一面給她理清亂髮。

——…………她仍然的笑着。

——還不說，我這次可不能饒你了。　說着便伸手去抱她。

——不要忙！　我說便得了。……我問你：w……她又發笑了。

——快說！快說！　他很急迫的催促她。

——— 12 ———

——wief，是怎樣讀法？ 是甚麼意思？

——呵！wife，…… 他也不禁的笑了。

——喂！ 甚麼意思？ 快說！快說！ 她撒嬌的說着。

——你便是我的……

——我便是你的甚麼？

——你……你便是我的……wife！

——你又在罵人了！她擺脫了他倆相握的手，直挺挺的在一旁立着。

——蓮妹，不要生氣！ 他走去溫柔的慰貼她。

——人家認眞問你，你偏要這樣的俏皮。

——我告訴你說：wife 譯成國語，便是「妻」。

眞是「妻」嗎？ 她恍有所觸的。

——誰還騙你呢！

—— 13 ——

她氣忿忿地走開了，他連聲吶着，但她仍舊不回頭的去了；他覺得太沒趣，沉悶了好一會才從窗牖上翻了回來。

大約有三天沒有和她會面了，他便寫好一張紙條，好容易一直等到第三天的午後，她才從窗下經過，他便叫了她好幾聲，才把那寫好的紙條遞給她：

「我親愛親愛的蓬妹：

請你恕饒我的唐突！不過我們的感情也到這個地步，總希望能夠永遠的不分離！ 不曉得你也有一樣的想望不？

我有好幾天不看見你了！ 心中的難受，我實在不能夠寫得出來；你生氣為的是什麼？請你告訴我！

愛你的鷗哥白。」

她反覆的看過兩三遍，直到她的兩頰緋紅

— 14 —

了;她想:「那些管閒事的人太可惡了！本來我同鷗哥是很好的伴侶，能夠永久的常在一道豈不是好？ 但事實上恐怕有些辦不到！ 我們的父母怎能夠知道子女的心事;然而,謠言已在醞釀了,恐怕對於我們的將來有絕大的障礙罷!……他始終沒有說我甚麼,我又何苦這樣的不理他呢?」 經過了一陣亂想,才寫了一封信去囘覆他:

「我親親愛愛的鷗哥:

我討厭的是那些愛「管閒事」的人們! 我又埋怨那些不明瞭子女的心事的父母! 我眞不敢預料我們的將來呵!

現在,我們事實.上還沒有甚麼,但也有了「我是你的 *wife*」的話了。 假如一傳到我們父母的耳內,我們將是怎樣的危險呵!?

你和我都有同一的希望,但我們有勇氣去

— 15 —

和那尊嚴的父母反抗嗎？

我總希望你能夠永遠努力的向上，到了相當的時間，這個問題也能彀解決了。 敬祝

你努力！

你的愛蓮妹白。」

他倆的春夢越發增進了。

無情的時間却伴着殘酷的誹語一般的促進，他倆的父母也加勁的防範了！ 直到離別前的一個深夜，他倆纔湊巧聚會了一次，在那時同感着茫茫的前途，并不可期的後會，於是，互抱着，痛哭着 ⋯⋯以至于忘形的哭喊着，驚醒了她那也曾入夢的嚴厲的父母，即刻立在他倆的面前，用着很嚴厲的嚷道：

──你這樣少教訓的東西，竟敢深夜鑽入處女閨闥，明天去和你父親說理去。 又回頭惡狠狠的罵着她道：

— 16 —

——我王門幾代的清德，都被你這小蠢貨玷辱了！ 說着便逼迫他馬上離去。

他對于謾罵和猥褻都很漠然，似覺對他毫無所謂。但他一眼看見她那種毫無勇氣而低頭啜泣的神情，不禁心酸淌出了汪汪的眼泪！

那腐敗不堪的*W*鎮，關于這種眞摯的愛，是絕無僅有的；到第二天便成了奇特的新聞，竟傳遍了全鎮，誹議的，冷笑的，謾罵的……眞個不一而足呵！

暑期到來，他受過畢業考試以後，便解纜歸去了。可憐他倆遠隔百里却同一的受家庭桎梏！

光陰眞如電逝一般的快呵！他家居又是半年了。 這個時期中，他的行動純然是受了舊禮教束縛的；那種使他感受着十分沉悶而不堪的束縛；竟把他擯擠到極凄涼的地方，久而久之，他的心情上也有了孤獨的雛形。

—— 17 ——

他的祖母是最鍾愛他的，覺得他沉悶得十分的可憐，纔同一位三世交好的四公公合辦了一所私塾，這私塾裏的同學當然是他兩家的兒童佔最多數。

翠姑是四公公的大孫女，本來和他從小便在一道玩的，因為他離家讀書去了三年，兩間的感情，也便冷淡得多了。 不過翠姑比他大四歲呢！ 對於一切，比較他要明白的多；她知道他在*W*鎮的經過，她明白他近來苦悶的原由，她深曉他生來的性格，……于是，暗暗的設計引誘他。 他似乎也覺察她的用意，然而，因為兩地相思蓮妹的關係也不免有些漠然。

但她 卻不因 為他的漠然 便阻止了她 的想望，有時還得加勁的和他親密——她見着他沉悶的時候，便從書內夾帶一個紙條去問他：

「你為甚又這樣的沈悶呢？ 那遠隔百里的

愛人兒，恐怕沒有像你這樣的相思罷!? 世間的美人多着呢！ 不要白操心呵。……」

他在初祇以爲她是在勸勉，後來，據她的形跡看來，似乎還得加增一點；苦悶深沉和理智淺薄的他，終于沉溺在她的騙術中了。

梅鎮的風俗，凡是有世交關係的人家，在新年頭上是互相走着玩兒的，翠姑因爲在那年的夏季便要出閨，也就來到他的家玩了好些日子；在已逝的一年中，他們也有了相當的感情，到現在獲得這樣可以親近的機會，她便實行引誘他了。

在他早熟的性情中，對于性的要求也是特別的渴望的；他似乎已忘卻了一切，親密的去接近她。

有一次他從宴會歸去，裝作了酒醉的模樣，一個人躺在他的書房裏臥榻上，經過他的祖母

—— 19 ——

斥命無論何人不得去擾他以後，他心裏委實地欣慰了。 大約到了黃昏時分，她悄悄的走到他的牀沿，用手摸着他的頭說：

——你眞醉了嗎？

他揭開被蓋，緊緊的握着她的手微微的笑道：

——我是騙醉的。家裏的人呢？

——她們有的在鬥脾，有的在談天。

——你怎末能够一人到我這兒來咧？

——我騙她們說：「我的那種東西來了！」所以才得脫身呢！

——你的什麼東西來了？

她祇是抿着嘴笑了，重重的捏了他的手一下，「我要去了……」他又怎能讓她走呢？ 但她……大約在一刻鐘後，她攏整好衣裙去了。

他率性的裝了好幾天病，但他的面色却已

— 20 —

清瘦得多了，據醫生診斷說是「腎虛」；他的祖母，伯母，母親，都詫異起來了，大約又經過了三天，他們兩問的舉止已被他的母親看出了破綻。

自從有了破綻以後，她也感覺得有些不適，敗興的回家去了。 但他呢？ 她也似乎顧不及的；然而，舊禮教的桎梏越發的鋼禁到他的身上。

他那遠在省城被公幹羈絆的父親，從知道這類惡消息後，更主張立地叫他到省就學；但他的祖母以為這樣還是不能維繫他的心，根本底方法，還是解決了婚姻問題，所以便在那年底冬天，他毫無感覺的喪失了一己的自由和幸福，竟負有丈夫的名義了。

「我怎末會同一個素不相識的女人發生關係呢？」他從經過牲口式的結婚後常常這樣的自問着。 其實他那馴服性根過于深埋了，至于

—— 21 ——

毫無抵抗的,在那結婚成禮的時候。 他的精神頹喪到了十分,簡直像痳木似的;假如有人向他問及婚姻一事,他總是瞠目的說不出話來,祇是長歎幾口氣!

大約是在中學的三年級罷。 那時的 *C* 城,正是新文化運動澎湃的時代,他也是同志一員,經過了相當的薰陶,很明白從努力奮鬥中可以獲得最後的幸福;于是,他很果毅的,勇往的,向他的父母述盡了他的精神上所感受的苦痛, 并擬定了最後的辦法。他的父親倒像明白他的兒子的苦痛,准許了他的兒子的要求; 他的母親呢? 論說她應當給予她兒子的最後幸福,因為她比較 還得知道 她兒子對 婚姻感受 着極端不滿;但拘泥到她兒子將成為舊禮教的叛徒,便竭力的阻止,以致于向着她的兒子啜泣。 這樣的束縛,他祇好忍氣吞聲的飲泣着,那孤獨的心情

— 22 —

便一天增進一天了。

在他未滿二十一歲的暑天也在中學畢業了，升學問題又反復的醞釀着，後來，他果離別家庭去到北京，他曾經歡欣地告訴他的朋友說：「苦悶的生涯，將從此消失了！」

他的心靈是怎樣的漾動呵？當他看見那些幢幢愛侶的倩影。在抵京半載後，他已結識了湘琴，她的容貌實在是十分的婀娜，那秋水般的明眸，蘋果色的兩頰，深淺合度的笑渦，瓠犀般的細齒，濃淡入時的衣裙，……在在都可引人迷醉！他眞忘却了人間的苦痛，以爲在不遠的將來，能獲得最後的幸福，光明燦爛的景境，定能呈見在他的小小家庭裏。

最可使他興奮的是考上了大學。他常常悄自歡欣道：「我既有了資格，便可多向家庭討錢，有了錢我便可以任意了；她的需要，我當使

她感受得相當的滿意；一到她有了相當的表示的時候，我便向家庭提出要求，這光明燦爛的將來呵！……」　確實的，他在那個時期中，也曾向家庭略述他的志願，一面還痛陳他已往的苦痛，非向他的名義 *wife* 離脫不可。　他的父母是怎樣失望呵！　從得到他的不倫的論調。　于是，「祖母之命，媒妁之言；夫婦乃五倫之一……」的話說得來淋漓盡致，并申言「如不力改前非，將從此斷絕關係……」他對于這種警告，似覺得對他不關緊要，也許還認作是一般家庭對子女常有的恐嚇；便寫了一封長到萬言的辯護書，從此以後，他便陷入了窮迫景況了！　家庭快有四月不來一信，他被生活逼迫得來沒法，才向朋友借貸，然而，終使他感受到無窮炎涼！他說：「家庭尙是這樣，還說朋友！」　那玲瓏般的湘琴，自然也是漸漸疏遠，後來，簡直絕跡了。

— 24 —

直到後來他的祖母臥病的時候，他的父母纔給他兌款來叫他囘家。

這樣窮簍的生活，在他生命史上這算是第一次，縱然是精神上受了極大的打擊，但他也看破了冷暖的人情，直逼得他低頭向着無人跡的地方走去。

他在他的祖母辭世後的八個月才得還家，一坏壅土，塊然孤存，縱洒盡他的滿腔酸淚，也難滌洗他未能弇爽的罪過！

後來，經過了無限的周折，他又得重行到京；在他久別的心情中，總感覺到一般朋友對他的熱情，「這是我心理的變態罷！」 他悄自的問道。

他的心情確實變得多了。從重行到京後，比較得十分的勤謹；他這個消息傳遞到他的家庭

— 25 —

以後，他的父母對他的信仰心也就復活了。 他領受的家庭底優遇，真是一天豐似一天。

大約又是一年半了。在過程中他用盡白熱的心腸，終未獲到有相當的代價，有時也還聽得一二句多事的批評；他灰心了，他的心真如死灰一般的冷了。 他的眼瞼外似乎蒙上了種種不同形不同色的鏡片， 他的視綫也便不稍停滯的變動，在他視綫所及的， 除了鬼頭鬼臉，稜形矩形以外，他似乎沒有看見多的可以成人形的。 在他的厭棄的心情中有時也發出一陣的苦笑，從苦笑中挾帶幾句詛咒聲：「如此世界！ 如此世界！」

他那孤獨的性根又在萌牙了。在多番考慮後，抱定一個「人不我與，我不與人」的主義。他的生活便一天天的單純起來了，性的煩燥也成為那時他的中心問題，那種難以自範的罪過，

—— 26 ——

勃興得了不得。

功課是沒有精神去理牠的。那時正是「麥秋」時節，「士女如雲」的 C 園中，常常有了他的形踪，他照例是坐在柏斯馨的門前的第二桌上，看見了那踱來踱去的時髦的神女，心情是怎樣的蕩漾呵！他有時看看自己的衣冠，有時也摸摸袋裏的錢夾，他不禁喃喃自語道：「衣冠縱然是舊一點也可對付；好在我的錢袋中有的是錢，率性的浪漫一番罷！怕些什麼？」他的態度也失常了，面上的顏色，由緋紅而青黃，而灰白……呆呆的凝視了好一忽；即到隔桌呼伙紀的狂擊茶壺蓋的噹噹響聲，他才從迷夢中甦醒囘來。

他覺得肚中有些饑餓了，照例的已狂擊了一陣茶壺蓋，正在這個當口，從他的面前踱過一個妙齡的神女，她見着他那個呼人不到的焦灼

的神情，便向他微微的笑了一笑，他縱然內心有些不安，也不願她那一笑落空，于是，抿嘴報了她一笑；她臨去的嫣然一笑呵，直引得他心神迷醉，瞪視着她珊珊踱去。

——先生，要甚麼？ 伙紀恭謹的問着。

他回頭一見那伙紀的神情，似乎有些鄙棄他適纔的行爲，于是，忿忿的說：

——爲什麼老叫不來，像這樣還成嗎？

——對不住！ 先生，你要甚麼？ 那伙紀表見一種很匆忙的說着。

——給我要碟加利餃，一碗奶湯魚唇。

大約也是黃昏時分，在無意中看見了同級的C君，他於是高聲吶道：

——Mr.C，好幾天不見面了，你好？

——是的。 你這幾天到那兒去了？ 老是不見你上堂。

—— 23 ——

　　——我這幾天病了，所以沒有到學校裏來。

　　——害什麼病？　恐怕是……

　　——喂，不要瞎說！　你這幾天出去「白相」
沒有？

　　——昨夜還出去來。　你爲甚問及這個話？

　　——沒有什麼！　他的面色緋紅了。

　　——你，……你，……你患着什麼心病？還
不對我實說！

　　——………　他的呼吸急促了。

　　——好朋友，有話儘管說。

　　——不是的，……我近來性的要求太煩燥
了。

　　——我說有甚麼了不得的事。你那個那玩
意兒還在幹不？　你的面色蒼白得多了。　依我
說到不如出去「白相」一番，遇着有適意的……

　　——「白相」我是願意的；不過我不懂得

　　——　29　——

那裏面的手續。

——這個容易。 囘頭我們便去罷！ 你暫時在這裏等我一下，我去邀那面的幾個朋友一同去。

他心中轆轆的跳動，似乎將有絕大的危險，呈見在他的面前；然而，那燈光閃人和脚鈴震響的包車已載上他往那個任人「白相」的所在去了。

經過學年考試以後，他越發的浪漫了。 他心中最愛的是春豔院的七姑娘，在沉迷最深的時候，似乎一切他也顧及不到。 那時京城如連鎖不斷的新聞，便是某班某姑娘出石老娘胡同的局票，其中以七姑娘的局票佔最多數，然而，所感到的苦痛已同樣的增加了！她曾經向他哭述：

——我看人生最苦的也沒過操我們這個生

—— 30 ——

涯；譬如說客人的局票來時，便在深更夜靜，也得要應票前去；不知道我的命爲甚這樣的苦？偏偏遇着一個魔王大帥！　錢是沒有，局票是要叫的，我整整的有了五天不成睡覺了。　她幽幽的說着。

——你們這個生涯，到是比較得苦；不過你說那位魔王大帥不給你們的錢，我倒有些不信呢！

——錢是照例給的，不過是幾十張軍用票，折扣下來也值不得幾個錢，總得要熬更守夜事奉惟謹呢！

——軍閥的性格本來便是橫暴的。說到銀錢一層，除了盡量剝削以外，還知道有拿去幹公益事嗎？但對於你們的報效，我想是不會少的；我聽說他還有納你做姨太太的想望呢！

——他的小老婆還少嗎？大約總有二三十

—— 31 ——

個，無論如何我是不會從良給他的。 說到錢嗎？
我同他的交往也快有二月了，統計得到的也不
過五百塊錢軍用票，這又值得什麼？ 但我實際
上卻疏遠了一般客人了！…… 你看再過五天，
「宣卷」的時期又到了，這三夜的「花頭」，連
一個都沒有人幫我的忙呢！ 掉了體面不說，還
有「阿姨」那頭威勢才叫人真難受呵！ 她說着
便哭起來了。

　　──老七，你何苦這樣呢？ 等到「宣卷」
期來，我給你做個「花頭」得了。 他摟抱着她
的腰說。

　　──祇要你能夠幫我的忙，那就再好沒有
了。 她抑止咽聲。

　　他用她從前給他的那塊印度綢的花手絹給
她拭乾了淚泪，又慰貼她一番。 接着外面又吶
喊「見客」！ 她才理了頭面珊珊的出去。 不

一忽她同她的「阿姨」笑嘻嘻進屋來了，連三帶四的說許多溫承話，直把他說得來無話可說，他把她摟在懷中熱烈的吻了一番。 後來，他接到朋友的電話約他上紫五姑娘處，才慢慢的別去，然而，他的心中仍感覺得依戀難捨。 剛到紫五處白格同弓長便從床沿上跳將下來把他拖着，用勁往床上一推，同聲嚷道：

——你竟敢悄地一人去尋你的情人呢；該罰！該罰！

——我當然受罰，再等五天，定請你們上她的班裏吃酒呢！

——怎末說？ 她要你給她擺酒嗎？ 白格陡然摔去他唇邊將吸完的香烟問着。

——是的，我也願意給她幫襯一下。

——有條件沒有？ 耽心受她騙呵！ 弓長很耽心的說。

— 33 —

— 41 —

——反正我已經答應她了；到時候請你們一同來罷！

說到此地，紫五已隨着那「見客」的沉靜聲息一跳進屋來了。

——金老爺！ 對不起得很。 說着便坐床沿上。 他用勁將她摟在懷裏：

——小寶寶！小寶寶！ 說着吻了她一下又回頭笑着道：

——弓長，你可不要喝醋呵！

說着大家都笑了。 在溫軟的妓女屋中，光陰眞像電逝一般的快！他們覺得屋外都靜悄悄的，才定神看看手錶，已到午前一點三刻，不約而同的叫一聲「去」才各自分散了。

到了他給老七擺酒的那一夜，釵環爭妍，哀絲豪竹，從九點起一直鬧到半夜，足足的有三個鐘頭。 他等待那些朋友的姑娘去後，才叫老七

買了兩塊洋的大煙，緩緩的吸着 不一忽祇賸下白格米爾和他三人，老七便向米爾說：

——金老爺今夜有了沒有？

——你問他幹麼？ 米爾將她摟在膝上，佯作酒醉的問着。

——缺德鬼！ ……她噗的一聲笑了。

——你單留金老爺嗎，還連我都一道留呢？

——明朝請你用中飯罷，有特別好菜呢！

米爾知道吃了虧，用勁的捏她的小小乳頭，她一面笑着，一面告饒；白格才離開床沿來給他們和解。米爾便將適才她問他的話向伯格說了，伯格便笑嬉嬉向老七說道：

——老七，這個媒我一定給你做好，不過你的謝媒的禮物呢？…… 你願意，便把我背到床上去。 說着便將雙手伏上她的兩肩。

伯格被背到床上，當老七離開後，便把老七

— 35 —

留夜的意思告給了他；他碍不過朋友的人情，結底承任了。 但他一看時間尚早咧！於是，他促伯格到英二處去一趟；英二剛洗完澡，着一件很薄的臥衣，他也不顧伯格願意不願意，便把她摟着任探，英二連聲吶喊：「缺德鬼！ 缺德鬼！」一面告饒，他才將她放了。 又坐了那一忽，英二橫順都要留宿伯格；後來，他同米爾才別了去。 大約到午前二鐘，他才一人走上老七的屋裏去，暢適的宿了一宵。

他沉淪在溫柔的妓女的術中，越發的不知道振作了。 在他那失戀的心情中，認爲可以藉此消磨一切苦悶。 大約又有三禮拜罷，老七的班裏又說是「開市」了，她不客氣的向他要求一塲牌；他的心中忽然感覺到妓女的無情，想了一個適當方法，貓貓虎虎的便將此事推却了。然而，那種冷酷的面孔，直逼得他不能久留，悶悶

—— 36 ——

的約了同去的幾個朋友突然離去。連鎖不斷的又逛了三五家，若遇他朋友的姑娘問及老七，在他神經過敏的腦中，總認爲是有意猥褻他，祇是搖頭漲紅了面不則一聲。

後來，他們都各走一途了。 他在那C門大街的馬路上踱來踱去，靜悄悄的四周，愈逼得他的心情縹渺，覺得人世上沒有一事足以慰安他的！ 已逝的熱情，今夜的冷酷，都是幾個金錢從中作祟「金錢喲！ 金錢喲！ 假如一朝有如泉湧一樣的來到我的手裏，我一定盡力的踐踏你呢！ 你那些祇知道愛錢如命的財奴，縱有一朝我要雪你對我恥辱呵 ！……」他一面走着一面喃喃的自語着。

第二早晨，他起牀後感覺得十分的無聊，昨夜所遭的那種冷酷的面孔又呈浮在他的眼臉，他懺悔了，發誓的不去「白相」了！在他的「白

— 37 —

相」成性的心情中，縱不時為性的要求急迫所衝動，然而，他却願意重犯他那難以自範的罪過。

正在苦悶的當口，他父親來了一封責斥他的行為的書信，并說出經濟斷絕的話；從此他的生涯一天緊迫一天了。 直到「秋節」以後，他陷落到窘困十分的境地，不得不出去向人借貸，然而，他所獲得的祇是一些縹緲！ 在受了一番激刺後，他憩得自訊咒道：

——像你這樣為眾所棄的蠢笨貨，你還有臉去和別人交往嗎？若果你吃飯的能力都沒有，頂好你去自殺了罷！不要多在人前掉臉面了！！

他所有的財產祇有那衣箱內比較齊整華麗的五件單衫了！他一口氣從箱裏抓出來捧在床上！ 忿忿的說：

——我也不配穿你了，當了罷！…… 當本

又有多少呢？ 將來又那兒有錢贖取呢？……賣了罷！賣了罷！ 知有今日，當初何必要這樣的東西？！……

他不禁淌出了幾行清淚，又注意瞪眼看着那將要出賣的衣衫；後來，他用了一張花布包單將牠裹好，長歎了一口氣，才慢慢夾了出去。

Ｃ門大街的估衣舖，他也發見了好幾家，但一走到門前，他的心中總是輾輾的亂動，清瘦呈花白色的臉上也起了一陣紅霞，他偷眼望望四周，心中自忖：「她們該不會有這樣的湊巧看見我在此地賣衣服罷？！ …」 他的心情越緊張，便越發的難以自決；他踱來踱去的走遍了馬路西邊的街道，到了最末一家估衣舖，他看看那舖的夥紀正在向他冷笑，隱隱中似乎在批評他：「既有今日，何必當初？」 他越發的膽怯了：「末必他知道我已往的事跡嗎？」他一陣亂想。

結底祇好穿過馬路走到東邊的街道，大約又過了好幾家，他才立了一忽，「怕什麼？ 爲的是我的生活。」 他才幾步踏進了一家舖門，那伙紀打量了他一下：

——幹麼？ 不急不徐的問着。

——賣衣服！他忿忿的將一包衣服捧在櫃上。

——什麼衣服？ 有多少件？ 那伙紀一面說着，一面開了包單一件一件的數着。

——你數一數罷！

——總五件。 要賣多少錢？

——你說！

——讓我細細的看一下。說着便一件一件細看。

他心中眞如箭穿一般，這樣的恥辱，在他的生命史上實在是從來沒有的；他幾次想雙身跑

—— 40 ——

出舖去，然而，肚中尙饑餓着呢！ 好一忽兒那伙紀才開口道：

——都是些舊貨。

——你要不要？ 乾脆點！

——要賣多少錢？

——十塊洋錢一件。

——不成！不成！ 值不了這樣多。

——那末，你的意思呢？

——我祇出五塊錢一件。

——五塊錢一件嗎？縫起來要值百十塊洋呢！

——不能說原來的價值呢！ 每件再添半塊洋錢罷。

—— 你給我包起來。

——未必你不賣嗎？……總共給你三十元錢好了。

—— 41 ——

他看看那五件新舊參半的衣衫，想想那瞬刻即到的縹緲的前途，也不禁悄自心酸！ 那伙紀又催促的說：

——賣了罷！ 三十塊現洋錢。

——……依你的罷！ 他長歎了一口氣。

他左手握着一張空無所有的花布包單，右手摩摩適才賣衣服得來的三十元錢，縱然知道暫時可以維持他的生活，然而，適間的一切恥辱，又迫得他難以排解了！ 即到一個高而且大的伙紀來問他時，他才從迷惘中甦醒過來；但不一忽兒他的心靈又奔越了，在大嚼大飲之後，他便高聲歌吟起來了：

——五花馬，千金裘，侍兒將去換美酒，與爾同消萬古愁！

——先生，你要甚麼？

他定一定神，便叫那伙紀算了賬目，醺醺的

— 12 —

走出了酒店；喃喃自語的走回了宿舍。……

「現在我的行為，足夠洗滌我從前污點了嗎？ 但是家庭仍然是這樣的漠然，朋友們仍舊是這樣的蔑視！ 我還有甚麼方法呢！ 祇好本着我的性格去幹罷！……」

他一想到此地，心情緊張到十分了！ 映照紗窗的新月，也由淡淡而終於模糊了；窗前唧噠的蟋蟀聲，隱隱約約的鷄鳴聲，都深深地刺入他的耳膜，他不禁長歎了幾聲：

——縹緲的人生！ 苦痛的人生！

東方巳快黎明了，他才朦朧的睡去；在這寧靜一刹那，似乎萬彙都縹緲呵！

一六，十，上。海

海 角 哀 鴻

　　薄霧濛濛的殘照裏，全無一點涼風，我正憑
牎凝視那對面呈金黃色的照壁，覺得社會是永
遠的炎炎夏日，眞令人領受不着比較頤和的生
趣，忽然門環響亮，我便匆匆地探頭去望：

　　——仲子，你來了嗎？

　　——是的，但我也料不到此刻會來呢！

　　在他慌張的神情中，我已覺得有些蹊蹺；卽
到臨面，他便從手中遞給我一束稿件，他說：

——伯瑜今早跳水死了！僅留下這樣殘缺的信稿，我正爲這個使命而來，像這樣使人心靈緊張的淒音哀調，不幸竟在我們朋友輩中演奏了！………我整個脆弱的心房。也容不了這樣淒厲之音，於是我不能不來找你；……

我的心靈奔越了！不等他說完，已揭開那信稿來看了：「海角哀鴻」，呵，儘夠了！祗此四字，已經惹起我無限的悽愴，再也不能看下去！直把我對于一個很熟識的伯瑜的性格，行爲，學識，思想，……種種印象，湧上我的思潮來。

老實說，怕瑜的學識，思想，是朋輩中有數的人物；他特別勝人處尤在他那不苟阿諛的性格，所以他的行爲比較一切都還高尚；然而，終成了他的失敗之母，呵！我不能不替他洒些同情之淚！

——伯瑜怎樣消極到這個地步？⋯⋯這個殘缺的信稿，又從何處得來？

在我悲悼的心情中，急於知道伯瑜自殺的究竟，於是不得不先問仲子。

——我相信在那殘缺信稿中，總能答覆你的問題，也許還能够對你的須知還得圓滿，你趕快看罷！⋯⋯⋯在我得到他的死耗後，從他的砂箱中檢得這樣不整齊的信稿。⋯⋯我也不能在此久留，還得歸去辦他的後事，再會罷！

仲子說着眞個站起來走了，我也祇得點頭相送。

四壁悄然沉靜，稀薄的電燈，失掉了平時的光彩，越顯得滿室闇澹，我也從事整理這個殘缺的信稿。

第一信　五月二日

（海角哀鴻）

我摯愛摯愛的霞妹：———

　　四年來的聚首，到今朝却被這無情的生活迫得我們不能不暫時分散；縱然似有無限的幸福在我們不遠的將來，然而這不可知的天命，誰能預料呢？即此分離的一刻，也感覺得有無限的愴恨！　妹妹，你說你是「塞北孤雁」，那我便是「海角哀鴻」呵！　我竟把「海角哀鴻」作了我給你的第一聲。

　　我想起那日別離的情形——汽笛聲聲，迫人太急！當我領受你那「一路平安」的慰語時，無情的火車，却也蠕蠕底前進，祇望見我們逐漸逐漸底離開，後來，越發震動了，在「砰磅」驟促震動聲中竟消失了你的形踪，祇留下點點滴滴的泪珠在我手中的汗巾上，我是怎樣地懊悔？那時蔚藍的天空，浮着漣漪漾日，布散了一陣陣和風，從我面前盪過，恍惚

　　——— 47 ———

類似你的嗚嗚咽聲；軌道旁綠陰成叢的楊槐樹梢，一飄一漾的從腦門映入，正如你那沉痛而熱烈的泪珠點點滴在我的懷抱；我呆癡了！呆癡癡的凝視着：一株，兩株，……祇是倒折，呵！妹妹！　我的心碎裂了。

　　在我破碎的心情中，迸出了雄壯的聲調：『你不是希圖解決你的終身問題嗎？不用徬徨，不用感傷，努力去罷！　努力去罷！……』從迷夢中將我喚起，增高了無上的勇氣；不管社會是怎樣的黑暗，我總得果毅的幹去！　妹妹！　像這樣的別離，是含有無上的意義呵！…………

　　楊村到來，曠地內有無數的荒塚，同軍人說瘞的是前年國奉兩軍構兵陣亡的將士，一個塚內至少也有十具屍骸；咳：眞個是白骨顚連，人命芻狗呵！　我在沉思哀悼中成了一首

詩——

浩浩黃沙，掩埋着成陣的荒塚，

觸髏已三年，醋沈在風風雨雨中，

暮煙裊裊，白霧濛濛，

呵！ 男兒，壯士，豪傑，英雄！

你們那——偉大的效忠，聖潔的服從，

驅逐你硬着頭顱去衝！ 衝！ 衝！

穢血模糊了征袍，仍祇是拚命底直往前

跑！

轟轟的彈雨聲，正打入雜沓的：呻吟，哭

泣，咆哮！狂號，

碰出了淒淒咽咽的悲調！

炸彈光臨，地雷破爆，

哥哥沒有了生命，弟弟也終歸死掉！

這不算無謂的犧牲，自許是忠勇的報效？

博得個男兒美名沙場戰死，

那能顧蝕月殘照裏的白楊蕭蕭？

　　一陣嘈雜而沸騰的聲音，我也知天津到了；於是很匆忙的搬下我的行囊，在旅館裏流連了好半天才得上輪。那時也是夕陽殘照了，我安置了行囊，像瘋狂一般的跑出了監獄式的艙房，在走廊尋了一個空隙處，憑倚欄杆望那啣着半山的夕照，四周襯被五彩雲裳，她是多麼美滿呵！那陰叢叢的岡嶺被暮霧層層籠罩着，越顯得十分幽邃。沽河中的江流聲，盪漿聲，撥載聲，……都似乎鏗鏘有勁；正回復我兒時的生涯，我的心境是該怎樣的快活！是該怎樣的快活？然而，祇是一時的麻木呵！即到蘇醒過來，愈加進了我的想思，——空虛終於空虛了！　沒精打采的走進我預定的房間，直挺挺地躺在板牀上，不久便朦朦朧朧的睡去；——你知道，這是我很不高興的時候的表

現呵！……猛聽得你的高底皮鞋觸路清響聲，我便匆忙的迎了出來，你面上的笑渦是怎樣底顯露？ 你的談話是怎樣底清晰？ 你的一切……是怎樣的明瞭出現在我的眼簾？我照常的緊緊將你摟抱着，狂熱的叫了幾聲：「妹妹！ 妹妹！」……你總是不肯抬起你的頭來，起初我尚的為你是在故意嬌羞，等到我注視你那緊貼着我胸部的臉面，才曉得你正嗚嗚咽咽的啜泣，我的安慰，我的撫貼，我的……都失掉了平常底效能，我真急了！ 熱騰騰的眼泪像連珠般雨點汪汪溜出，很久很久的……你抑止了咽聲，用柔軟的兩腕緊緊的抱着我的頸領，沉痛的泪痕瀰漫了我倆接觸的面部，感覺到十分十分的熱烈！…… 你連聲叫道：「瑜哥！ 我親愛的瑜哥！像這樣齷齪的社會，鬼域的世界，我真不願你去接觸牠，

— 51 —

不願意去投奔牠！…… 縱然是種種問題迫促你去幹辦，但我總不願意離開了你，你囘來罷！你囘來罷……」我那時一句話已說不出，祇是將你的手腕加上那怦怦作跳的心窩，驚惶的叫道：「吾愛，吾愛！霞妹！霞妹！……」你很坦白地說：「你沉摯而愛我心，我早也明白了！ 不過像這樣奔馳， 未免太苦你呵！……」我更無話可說了！你又摟抱着我很甜蜜的親了一吻，更換了手內的汗巾，轉身便向那汪洋裏跳去「呵」！我驚叫了一聲，匆忙的伸手去搶抱你——我是抱着了，但是未展開的被褥！驚惶失措的當口，想起我親愛親愛的妹妹今夜沉寂的情形——伴着你的祇是那熒熒的孤燈，單單的被褥，紗牕下的鋼琴，書櫥內的詞譜，當然你是無心去理料牠喲！然而你的頹喪，悲傷，幽怨，……都是因我一去促成了

— 52 —

的，我是怎樣的不該！我是怎樣的不該！然而那無情的生涯，却一天迫似一天呵！沉痛的眼淚重復的滴出來了，竟瀰漫到你贈給我那個 *Golden Time* 的枕上！同艙的三個人，總是常用奇離的眼光來偷視着我，有時也會發出一點嘲笑聲，他們怎能知道我內心的苦痛呵！後來，我愈想愈亂愈覺得傷心，像這個社會中，能有幾人與我們同情？！餐堂裏的時鐘，牠却one，two，three……伴着我響到天曉。

你那忠實的伯瑜。

第二信五月六日

我親愛親愛的妹妹：——

我此刻已到想像如慈母般的上海了！內心的快愉，正如映照在黃浦江中像繁星般的電燈漾動，可惜立被蜂擁式的苦力衝破了！ 雜沓聲中播傳來陣陣像虎豹似的咆哮，當我被

「接客」指引登岸，正對着那閃爍的兩隻眼光，恍惚牠已施展架式對準我猛撲前來，我心靈上迸出了恐怖的怪感！ 然而，牠一馳到我的身旁，那閃爍的怪眼，猛撲的架式，便都很沉靜的潛滅下去，結底載我到民國路旅館。

我檢定了一間比較開敞的臥室，面着鏡台照過我的容光，消瘦誠然消瘦得多，但那數年未能滌去的燕塵，今朝却已無微垢了。

剛寫到此，房門呀的一聲開關了，珊珊的走進兩個賣唱的姑娘，連聲問我道：

——先生聽唱不？…

——不，不！我急急底搖頭回答：

——時間尚早咧！ 少唱一曲好不？

——我弗要聽！ ……我弗要聽。

她們扭轉身軀一逕的去了。明知她們是惱我呵！ 然而我南來的成意，是想在實質上

— 54 —

幹些事業，藉解決我們的終身問題，那兒還能顧慮她們的喜怒呢！ 琴絃響亮，她們已歌起來了「可憐的秋香」，「梅花落」，「孟姜女」，……音調淒楚得很，尤其是經過了幽曲的轉角處。 我深悔剛才不應該那麼惡厲對她們！ 我們的分離，又何嘗不有她們一般的苦痛！ 她們却能忍着耻辱，抱着琴絃，哀憐這個，乞求那個，縱然有時遭受無情，但終能獲到一二個褻瀆藝術的主顧，解決那無聊的生涯；但我們的淒音，我們的哀調，有誰能夠替我們彈出一種共鳴？ 也許連一兩個褻瀆藝術的主顧都難得到嘞！

想起已逝的航程了——從「划剌，划剌」的逐浪聲中驚醒起來，相握不到一日的天津，也不知在何時消失了！ 浪花四濺中，竟泛出了演成「三一八」慘案的塘沽口，暮霧濛濛，

—— 55 ——

景色依稀，在我殘缺的心靈上，總留下一個很深刻痛痕！

浪濤越發驟促的時候，我已祇好躺在板牀上，在那一刹間，竟引動了我無限的囘憶——我們的離愁，我們的別泪，⋯⋯在在都是使我沉痛！ 使我悵惘！ 但我料你此刻的苦痛和煩惱，一定比我還深刻還深刻得多呢！然而，這無情的宇宙，殘酷的浪濤，却加勁施展牠們的伎倆呵！

偉大的海濤，滌不去人世的苦痛和煩惱！

重重疊疊，都是些別恨離愁的籠罩！

燕雲何處，黑黯沉沉的怎能辨曉？

從來怕賦「陽關曲」，那能料却有沉痛愁慘的今朝！

萬種相思，萬種幽怨，

都深深切切底刻在我倆靈犀般的心間！

—— 56 ——

吾愛啊——

花是不能長豔，月也是不能常圓，

當牠們殘蝕的當口，正是走上了鮮豔盈滿的軌圈。

我不是有意超脫，人生祇是殘缺的！ 我們總得從殘缺中去求安慰呵！

當海輪馳進黑水洋時，我的心絃越發顫動了！ 假如那時有你在我的面前，我決定像嬰孩般投入你的懷抱；然而，塞北海上，相隔遼遠，那又怎末能夠呢？！ 祇得用雙掌合抱着我那忐忑的心窩，希冀酣沉睡去，但終被恐怖心情征服了！ ——我不得已才緩步攀上絕頂的船頭，天空的日光，已被黝黑的雲霧遮蓋着，突然從浪中迸出了一陣狂風，呵，偉大的浪濤！ 那晶瑩般的浪花 ，隨跟着波濤湧盪，一時散漫，一時聚集，我不禁讚了牠幾聲：「自

— 57 —

由的浪花！　自由的浪花！……］

　　我想起了——想起你對于我的前程，是怎樣的關切？對于我的人格，是怎樣的鎔鑄？對于我的弱點，是怎樣的匡救？　對于我的……眞是無微不至！　簡直像負有責任的慈母，救助和教育她的子息，眞是盡心竭力呵！　我領受了這樣的愛惠，祇有精誠禮讚　就如禮讚聖母瑪麗亞一樣；我不得不努力矜持，在實質上建設一個基礎，構造一座晶瑩般的瓊樓，將我禮讚的瑪麗亞供養在內呵！

　　夜已深沉了，我已感覺疲乏得很，容再述罷！　在結尾敬祝你的健康！

　　　　　　你那沉摯的戀人伯瑜。

　　　　第三信　五月九日

我戀慕戀慕的霞妹：——

　　我眞不信我們國體永遠這樣的弱嗎！五

— 58 —

色旗上却染着無數的污點——國恥紀念，我
們是該怎樣努力去洗滌呵?！ 我們是該怎樣
奮鬥去鏟除呵?！……愛國的民衆，象犬般巡
捕，縱然他們的工作是極背謬，極矛盾，但我
也不能獨禮讚愛國的民衆，還得爲那些象犬
般的巡捕大哭特哭呵！

我離開了十字街頭回到旅館，從激昂憤慨
心情中迸出了下面的呼聲——

赤血糢糊的五月：

留下了許多沉痛而愁慘的創痕！

帝國主義底侵凌，暴客式軍閥底踩躪，

可憐的弱者呵——

你是怎樣的不幸?！

不幸背上雙料十字架在你的肩頭，

沉毅而永遠永遠底直往前走，

縱然是有無數的兇暴隨跟着詛咒，

那怎肯輕回轉你惺忪的睡眸？

成功底途程是必經過犧牲，

鐵蹄下踏不滅你的精魂！

毋道長夜漫漫呵——

那不是曙光閃閃的黎明？

你的信——從仲子轉來的信，我已經是看見了。　但我內心的悵惘，仍和未接到你的信是一般的呵！　在悄無人聲的深夜中，我緊緊將牠吻着，新泪舊痕，都瀰漫到一塊兒，成為整個的「離恨箋！」　你的生活本來是很單調了，從我一去，不知你更將頹喪到那個地步呵？　處現在社會組織之下，我們誠然要極端打破「遭少」「小姐」……的偶像！然而，日常的生活，也不能過於浪漫呵！　你的病現在好得多了嗎？海角上有隻孤鴻在誠誠懇懇的祝你的健康呵！　在凄涼岑寂的深夜，

總會嗚嗚咽咽底悲出「輕別離」「輕別離」
的哀調呢！　你服用了 $Hymoglobin$ 感覺得
怎樣？假如不大受用，竟可改用麥精魚肝油，
我對於牠的效能比較是有相當的信仰，因爲
父母親的肺病是服用牠好了的。我遠來深悔
自己當初太走錯了途程，爲什麼不學醫理咧？
若果知道醫瘧疾用金雞納霜，醫白喉用清血
注射，醫急性關節炎用柳酸鹽，醫寄生蟲用的
赤痢用弈美淸，醫肺病，醫腸胃病的一切藥品
…… 那我一定執好聽筒，親手替你解開胸襟，
輕輕底敲擊你的胸膛，檢查你的骨節輸動，你
的血液循環，你的……證實你果眞是有了肺
病沒有？這不但我們是永久不得分離，一切問
題，都可以因之解決了。　然而醫學常識都沒
具備，胃腸炎，肺結核，……總憑着那些所謂
博愛爲懷的醫生們判斷呵！自從經過穆弟被

— 61 —

誣為肺病第三期患者以後，我對於醫生們，祇留下一些殘缺的印象在我心中，有時還得罵他們是社會的病菌，是美的破壞者！老實說，他們知道什麼叫着人道？ 什麼叫着博愛？祇把人們作他們的動物試驗品，藉圖博士的稱號，藉圖巨萬的家貲，……這也是萬惡的社會逼着他們這樣的無良呵！你的肺病，雖然不敢決定真假，但我總得誠誠懇懇的希望你加意珍重呵！

你的愛人伯瑜

第四信　五月二十日

親愛的霞妹：——

我已遷居到朋友的寓所了。他們寓居在一間長方形底前樓，光線到也十分充分，不過小小的面積，除掉了鋪牀以外，沒有多大空隙處；他們為什麼要這樣亞擁擠，也不過受了輕

— 62 —

濟的壓迫罷！

　　近來覺得像我們一樣在經濟壓迫之下呻吟的人實在不少，得有同情的人互相討論，增進我無限的憤慨呵！

　　我想像的慈母的愛，也不知消失到那兒去了！　整日間祗感受着像鬼怪一般的惡厲，使我心傷，使我徬徨！……偏那炎炎的夏日，加勁施展牠的伎倆……

　　　　　　　　　（下缺）

　　　　　　第五信　五月十六日

令我懷想的妹妹：——

　　皎潔明月，浮漾在漣漪的天空，打從晒棚空際處直映到我們的牎上，夜闌人靜，呈現得十分幽邃，宇宙永久是這樣的恬靜，這樣的清

—— 63 ——

潔，……那還有甚麼令人不滿呢？在已逝的戀程中，我倆是怎樣欣賞她的神韻呵！ 海棠樹下，常有我倆互相偎倚的形踪；悠悠的簫聲，朗朗的歌聲，打破了森陰沉寂的四周；那鬼怪似的無花果樹，也隨風盪漾助長我們的興致，那是怎樣幽靜呵！

　　皎皎清宵月，

　　照徹我素心。

　　素心何幽靜？

　　與子共歌吟。

　　簫聲何悠悠？

　　凝目望瓊樓，

　　縹渺不可見，

　　胸懷萬斛愁。

蒼生實何辜？

受遍辛中苦，

誰為施瘟使？

竭力均貧富！

強者久窮兵，

弱者苟偷生，

偷生不可得，

杜鵑共哀鳴。

禾黍何離離？

淒涼一荒陂！

可憐倚樓者，

徒勞夢中思。

舉目望海棠，

徒增我悵惘，

明年花再發，

阿儂知何往？

渺茫人間事，

榮枯詎可知！

那得漣漪水？

滌盡苦別離。

儂願化月魂，

願君化繁星，

將此皎潔光，

照彼羅苦人。

　　這是當日歌詞，那纏綿和諷寓的意趣，將

永遠永遠地留存在我的心靈呵！在此刻追迴

旣往，正如午夜失母的孤嬰，呱呱待哺！　妊

－ 66 －

妹，你此剖醐沉在夢鄉了嗎？　你夢見的——
是你那怡樂的家庭？　是你那美麗的故鄉？也
許還是在此望月悵怳的我呢？……同室的人
們，正在夢中發笑，他們定有美滿的幸運了。
對景愴悵，我到像正徬徨在沙漠中的孤侶！

　　困難的生活，已逐漸逐漸的向我逼近，在
這不可知的天命中求解決種種問題的人，前
途是怎樣的危險？！　據近數日奔走的情形觀
察，我的希望誠然不是完全沒有，不過總感得
有些微末呢！　……然而，我祇好憑着無畏的
勇氣，一往直前的，我想……我想也許還有成
功的可能！

　　自然啦——我所知道的社會組織，也不
是理想中那樣的簡單；卽到一脚踏進社會，所
見的情形，比較還加複雜得多呵！　像沒有澈
底了解的我，誠然是很難應付；然而……我

—— 67 ——

不能不掙扎着，領受了上帝所給我的苦盃，努力去學習上帝我啓示我的意思；也許是才能獲得到最後自由呵！

在現在社會組織之下，經濟不十分充足的那兒能獲自由，「自由之神」呵！　你能打破一切籬障，樹起你那普視同仁的旗幟嗎？我願…　可憐你不幸竟成了金錢的奴隸，可憐你不幸竟純然的商品化了！

妹妹，你總不會忘記那殘酷的冬天，牠是怎樣的不仁？　凜冽的北風，如利刃一般的刺人肌膚；無情的宇宙，板起牠那嚴厲是面孔，似乎要吞沒了人類，在那枯燥的情形之下，誰也感受着十分的恐懼！　偏偏不幸你患病了，呻吟牀頭將及一月，病中的經濟狀況，感受得十分窘迫！　如沒有那二十多元的川路貸款，恐怕難逃那不顯見的危險罷？我不禁連想到

— 68 —

那些立在資本台上的「遺少」們，吃的是吃，穿的是穿，玩的是玩，……像這樣區區貸款，那能值得他們重視；結底祇好拿去買一次「果盤」吃了。

你近來感覺得經濟窘困不？ A 社給你的薪金照例兌來了嗎？ 說到這層，我將要向你祈禱，向你求恕！… 像我這樣的寄生蟲，是怎樣的連累你嚙？

東方快要明了。我的頭似乎被千鈞壓着，不能不暫時擱筆；祝你健壯！

　　　　　　愛你的人伯瑜。

最末封 （無月日）

我親愛的霞妹妹：——

　　我不該——這樣的闊略，這樣的無聊，致

使你十分十分的掛慮！ 我的罪過，怠惰的罪過！ 誠然知道你能澈底的原諒我，然而我那內心的懺悔，將永遠留下不可滅的創痕！

我現在已無容隱瞞了——其實是本來不該隱瞞的，恐怕增劇你的病症，也祇好出此無聊的下策，妹妹恕我！ 妹妹恕我！ 小孩見了慈母，總會盡情吐露他的隱痛；妹妹，我怎敢瞞你呢?!

雙曲綫的社會，是怎樣的幽曲而神秘呵？一個不識途徑的人，那能辨得出方向呢？劉姥姥迷糊在大觀園，誠然是擺不脫村野的習氣，然而大觀園的途徑畢竟已太分岐了！ 她誠然是露了一場醜態，但結底得到許多不甚需要的惠贈——從賈母以至奴婢，她是怎樣的幸福呢？現在我連個奴婢的好處都沒領受着，在失敗的當兒還迷夢着有無限的希望，這是

何等的儍角呵！ 狺狺的奴婢們，你也是在人脅下討生活的，我不忍詛咒你，我不忍詛咒你！…… 聯想到當日我和他晤談的情形了——他的神情，他的談話，他的……是多麼滑頭而使我不明其妙呢！

——伯瑜，我們別來快有六年了，舊時儔侶，都也雲散煙消，有時追溯旣往，我不禁有些悵惘呵！

——自然啦！ 我也是一般的感觸。

——你近年來的造詣，越發深遠了嗎？

——說不上！ 鬼混了四年，說來自己甚感慚愧！

——不是距畢業還差兩年嗎？

——是的！差兩年。

——爲甚麼不繼續上去？

——還不是經濟問題，

——唔！　經濟問題嗎？……‥‥‥

——————‥……‥……‥

——這次南來的意思是怎末樣？

——特地來依傍老友，希望維持一下啊！

——咳！……自然！　……自然盡我的力
量！不過現在人浮於事，似覺有些困難；‥…
……但我總得盡我力量！

——謝謝！

這是我和一個老友——現在已是奴婢式
的政客第一次的談話；時間縱然不久一點，但
他已表見倦態，我也祇好告辭別去。

求人的人與那被人求的人，心理上當然
是有絕大的差異，我也未免過于孟浪了！　致
使他對我漠視，對我虛僞，對我……我祇怪逝
水般的光陰，逼人太促，致使我內心發生莫大
恐慌！　然而絕望的惡耗，却隨着恐慌刺入了

—— 72 ——

我的心境。

其實，我的要求也自信不大過分，恍惚曾對他表示過：我的主義是都以賦予的爲滿足——以爲處雙曲綫的社會，祇好持知足的心情，然而誰料竟成爲失敗的要素呢！「伯瑜太忠實了，有了學位還可對付，但他僅僅走過一半途程，如果登上政治舞臺，保不定是要債事的？……」這是那位奴婢式的政客向別的朋友研究我的話。

誠然！我沒有學位，沒有專門智識，是不配插足到政途的；倘如因爲忠實便漠視我的一切，那未免有些奇離了！ 有時我總會謾罵自己無能，爲什麼不去學習狡獪手段？ 然一念及你對我人格的鎔鑄，又不禁詛咒自己不應萌此動機！

『世情看冷暖，人面識高低』！ 近來我

自己也覺得太渺小了。友朋的蔑視，是必然而然的；我又怎能詬病別人的不情呢！ 壁上釘着兩張像片——雪萊，太戈爾，這兩個偉大的詩家，都板着嚴厲的面孔 ， 好像也在鄙夷我——你這樣意志薄弱的低能兒，你這樣孤癖成性的蠢物！你的生活是怎樣的無聊？你的思想是怎樣的？ 你淺薄的感情是怎樣的自私？你正是社會中的贅物，褻瀆一切的罪人，去罷！ 快去死罷！……像我這樣墮落的青年，實在是現社會的贅物，已逝的想像，情感，都建設在那自私自利的基礎上，我真懺悔呵！褻瀆一切罪人的殘軀，祇好投到那巨浪深淵藉牠洗滌，藉牠漂流！這個宇宙裏，實在沒有我的立足地了。 妹妹，你真不幸呵！遇着我這樣低能，這樣的蠢笨，竟辜負你的一切，望你恕我！ 望你恕我！在此末臨的一刹那，我却

— 74 —

比較澈底得多呵！在現社會組織之下的新青年，是負有莫大的使命．若一味沉迷在戀愛之途，那眞無聊呵！ 妹妹，你不用因我自殺傷心，沮喪……應努力的前進，替我向社會宣勞，民衆造福，我眞誠懇的盼望着你呵！ 妹妹努力！妹妹努力！

愛你望你的人伯瑜。

伯瑜給他愛人霞妹的書，存留的僅此六封。

處現在社會組織之下呻吟的青年，到也不祇是伯瑜一人，然而伯瑜對于人世的感受，尤覺有整的悲哀伏在心裏，所以處處不滿，本來呵——那鍍金色的套狗圈，也是特別的殘刻呵！若不常存戒心，到也死獲不到自由呢！

十六，八，上海。

— 75 —

未 央 柳

鳳姑今年已十八歲了！在她那又羞又惱的處女心情中也很明白兩性間純潔的愛，所以她有時直把「愛」看得是很神祕而不可偶然的；縱不幸有了和她極背謬而強有力的威權來壓迫她，她便寧肯犧牲了她那自認為可憐的生命而絕對不肯犧牲了她那已成的定見。

她的家產原來不是很豐富的，當初確為詠生活的奠定起見，才在靠近 P 校的地方租定兩

— 76 —

所民房來轉租給人，這個計劃到很不錯，從她八歲那年開始直到現在，獲得的利息實在不少——據說現在已是中人之產。經營自然是她的父母，然而住客購買什物和收送信件都是她一人的職務，所以她從先知道住客的姓名後見着信件上所有的字痕便漸漸底認識了幾個字；又得一個客居快有三年的 L 君不時教她，大約有年多工夫她便認識得許多許多的字；同時也懂得一點算術了。 從她那秋水般的明眸，新月般的細眉，蘋果般的雙頰，紅櫻般的小口，黃鶯般的歌唱，彩蝶般的跳躍……看來，也可知道她不是凡庸一類。

在她十歲那年便開始到 P 校的夜課初級班讀書了，大約經過兩年被升入高小班，一直到十四歲那年冬天纔畢業，第二年的春天她便考入了 SE 中學，整整的讀了一年，寒假一到，可是她

—— 77 ——

失學的厄運也隨之而至了！在她好學不倦的心情中，認爲這是她父母十分殘忍而薄待她的！但她決不會因此便消沈下去，所以她在空閒時間總會展開她那愛讀的書本雜誌或報章不稍停留的看，一年復一年。

　　C君在她家居停快有年半了，看見她在做活之外手不釋卷的苦讀，狠覺得奇怪了！　於是很殷勤的向着她的母親問道：

　　——房東！　你們鳳姑眞勤讀喲！　爲甚麼不送她往學校裏念去？

　　——C先生！　像我們這樣的家庭，那兒還有多錢繳給她讀書呢！祇好讓她在家自去隨便看看罷。

　　——那書上桌一切她都懂得嗎？

　　——鳳！　你覺得怎樣呢？　她母親似乎有所感觸的笑着回轉過頭來問她。

——當然有許多不大明白的地方！ 鳳姑低頭淺語答着，

——傻乖乖！你幹麼不拿去請C先生教你一敎？ C先生可不是一天的客，怕什麼？ 她母親一面嚷着鳳姑，掉回頭來笑嘻嘻向着C君問道：

——C先生，你有工夫麼？

——空是有的！ 祇要你們鳳姑她願意，便從明天晚上起，她到我的屋子來我教她就是了！

——很好！勞駕得很！C先生！

從第二天一彎新月映照半窗的時候起，便可聽得見兩個不同的聲音——一高一低，一脆一啞，——在那屋內念起書來了！ 有時也可聽一種合唱琴調的歌聲，由春到冬，復由冬回到首夏了！

—— 79 ——

　　光陰是何等的快嚼！在他倆發生師生關係
以來快有一年半了！他倆的感情也是隨着歲月
的增進而增進，到後來竟有一種很神秘的愛；然
而總是各自潛默着，很久很久的………　她知
他不是虛僞的，狎諧的，直把她在十五歲時對於
「愛」的懷疑和恐怖的心情將要打破了！有時
她若檢出了她那時關於「愛」的懷疑和恐怖的
紀載，她總會笑彎了她自家的腰；因此她把她
——日記——看得來像珠寶一般的希奇！除却
了她很願意很誠懇的獻給她的愛人評看以外，
她總不願意有第三人再知道。………　有一夜
在她念書已完將走的時候，便從衣袋中取出了
一本小小的册子往他的懷前一捽，匆匆的笑着
去了！C於是急忙的一直看下去：

　　——今天已是春假了！我便約同珊妹
　到C園去看看花草：當我倆走過花陰樹下

時，看見了許多許多的探花的蜂和蝶，她們一出一沒的都不稍停留，照她們那種穿來穿去的神情看來，牠們也似乎在互相注意罷？ 這便是叫着甚麼兩性愛嗎？ 這也未必便是牠們在那歡度蜜月嗎？…………不會！ 決不會！ 那蜂確沒有蝴蝶那樣的美麗可愛！她有那很殘忍而能螫人的毒針，便是人也可受不了，漫說還是那美麗而可愛的蝴蝶呢！ 但牠們同時都在出沒花間，未必便都能同花發生「愛」嗎？也不會！ 因為牠們是不同種的，怎能愛呢？ 那末！ 甚麼是愛？ 甚麼是真的愛？甚麼又才是兩性間的愛？…………　　月　日

————……………我明白了！ 昨天同學們

不是在說曼倩和東浦愛上了嗎？我已覺得他倆近來的形踪有十分可疑：東浦幹麼老是不帶鉛筆？每天他可從她的肩上伸過手來向他借用，有時曼倩故意不遞給他，竟把鉛筆往她的嘴裏含着；他必悄聲「千妹妹，萬妹妹」的哀告，曼倩才慢慢遞給他；總得要經過好幾分鐘他才還給她，但那鉛筆的尖頭已潤濕了！曼倩還得馬上往嘴裏一抿，眞奇怪！　這種遞來遞去的舉動，在一個鐘頭裏，總得看見好幾次：我的書案是和曼倩相連接的，東浦的坐位恰好在曼倩的背面，他倆的一舉一動，我都看得很清楚，然而總不明白他們究竟是在幹什麼？有時我假如在無意間向着她笑一笑，她的雙頰必會發赤的，同時一定要低下頭去一語也不發；這樣的借用鉛筆也是兩性間愛的方法嗎？

•••••••••••••   月　日

　　——我近來總不時可以發見男女的異
點，也許常說的「兩性」便從那兒來的罷！
有人說男女互相愛上以後必定有同居的那
一天，這「同居」便是「兩性愛」的最終
點嗎？為甚麼我却見着我那隣居一男一女
——據說是夫婦倆，隨時打架鬥嘴哪！……
……論說旣然相愛了便不應該這樣！但我
的將來…………   月　日

　　——曼倩同東浦昨天已正式結婚了！
在他倆經過一年的相應，想那情感一定是
很正確的！不過我今天看見他倆行禮的拘

—— 83 ——

束到那步田地，這不是有些虛僞的嗎？ 想起他倆在教室內借用鉛筆的情形，束浦是何等的俏皮，曼倩又是何等的活潑？ 今天是他倆同居的好日子，論說應當格外活潑潑的才是！但他倆卻呆板板的一語也不發，爲的什麽呢？…………我等待他倆行畢了禮握手同進新房以後，才低聲問道：「你倆的鉛筆呢？ 幹麼不拿出來遞一遞？ 多麼好玩哪！」 他倆不約而同的罵我一聲「缺德」！我真「缺德」嗎？哈哈！！……

　　　　　　　　　　　月　　　日

　　——天氣實熱呵！ 我在吃畢晚飯正澡洗的時候，珊妹曼倩和兩個同級的女友來了，他們一定要我同上C園玩去，我也祇得同他們去走一躺。 當我們走進C園已是黃

昏時分，那些攜手摩背的一對一對的人們
啊！ 直向花陰樹下漫遊前去，他們一定是
*Sweet-heart*了，他們似有無量的幸福啊！
但愛的最上點就是在這樣的攜手摩背嗎？
…………眞奇怪！那個綷着洋服的妙齡女
人，爲甚麼便同一個西裝的少年並肩坐定
了呢？剛才我們不是看見他們尙在各走一
邊嗎？ 當我們打從他倆的坐凳背後經過，
他倆才在互通姓名，旣然素不相識，便不應
該那樣的親暱，也不應該「愛」！末必那也
是所謂的「兩性愛」嗎？…………　　月　日

　　——我常聽說愛是很神祕的！像昨天
在*C*園中看見的那兩個着洋裝一男一女那
種愛恐怕是變態的罷！爲甚麼素不相識的

兩個人會說得上甚麼「愛」嗎？假如「愛「
果眞是那樣容易的，那末，還有甚麼神秘
哪！………　但神秘的愛又是怎麼樣哪？
也許就是曼倩和東浦那種由同學而朋友而
遞鉛筆…… …而成爲夫婦的罷！………
…眞的嗎？………　月　日

　　　──隣家 W 太太養小孩子了！當我跑
去看她的時候，她那緋紅的雙頰已變成灰
白了！　直挺挺躺在牀上呻吟，眞令人有無
限的恐怖！未必個個女人都要這樣嗎？　旣
說是兩性相愛，那末，這種養小孩子的苦
差，總得兩性互相負責才是！　但這是萬不
能够！………　我恍惚聽見母親說過：養過
小孩子的女人，總得在她的臥房裏單獨的

住三四十天，那是多麼淒涼而難受的啊！這便是「愛」的結果嗎？假如這是受過愛的女人不能逃脫的例子，那末，我寧肯一生也不受誰愛！ 我也不愛誰！………… 月 日

——光陰眞過去得快啊！不久又說是寒假了。 曼倩和東浦結婚已有七個多月了！ 他倆的愛情眞是完全向上的，遞鉛筆的舉動也很久很久的都沒有看見了，也許他倆現在也無須那樣幹罷？同學們看見他倆攜手並肩來校的神情，總得要用言語去譏誚他倆；有時簡直批評他倆結婚太早！確實的！ 東浦還不滿十九歲，曼倩也在結婚前五月才滿十七歲呢！………眼見得曼倩的處女美消失了！她的胸部和臀部都逐

—— 87 ——

漸澎漲起來,恍惚看見覺得很呆板似的;近
來她的舉步也不大自在了!聽說我鄰家W
太太的那種苦差,快要臨到她的頭上去了!
所以她近來也少有上班;東浦說巴替她告
了病假了!昨天我下學時才和東浦一道去
看她一面,她眞消瘦得多了! 哈,可怕!…
………　　　　月　日

　　這都是她十五歲時在中學一年級內零碎的
紀載。 那種懷疑「愛」的少女心情,眞是從爛
漫的天眞流露裏出來的!他看完以後也不禁欣
羨地微笑起來了!同時更感覺得她有十分的可
愛。……… 翻來翻覺的不知看了多少次,結底
到最末頁發見了一行「閱後,請替我秘藏起來,
勿使第三人知道! 鳳白。」的字痕,他纔慢慢

— 88 —

的安置在那保險抽屜裏,鎖妥後又查看一番,才解衣朦朧的睡去 ………

第二晚上她走進他的屋子便從她那強制不笑中眞笑出來了!當他倆並肩坐在書案前,她說:

——我那小册子你也看過了嗎? 那都是我十五歲時懷疑的紀載,眞是可笑哪! 到現在………

——到現在你仍然是一般的懷疑嗎? 他向她很誠懇的問着。

——從前那種很淺薄很幼稺的懷疑到可以說已經自動消失了! 不過「愛」的眞理安在? 我尙不敢決定呢!

——愛嗎! ………是很神祕的,純潔的,心靈的,沉摯的,絕無條件的,超出理性以外的,………這便是「愛」的眞理。像那一時情感衝動的,爲外圍所誘惑的,受環境支配的………

—— 89 ——

這都是建設在虛偽的基礎上面，縱一時能夠有很熱烈的表見，然而總不能夠持久，且極容易破壞的，這個「愛」便失卻眞理了！ 他很注意而極委婉的解釋着。

她很有感觸的低下頭去一語也不發，直把她從受他的敎和愛的經過一一記上心來，潛默了很久很久的………她的兩頰發赤了，含羞且笑的說道：

——明兒再念罷！ 於是便很急促的去了。

他倆的春夢——神祕而沉摯的春夢，便從此一天酣似一天，直到後來………那可怖可悲的一幕到了，仍然是一般的酣睡着。

無情的暑期到了！他倆的別離——永久的別離也隨跟而至了！在他沉痛心情中總不願將那離愁別緒．侵佔她那春桃一般而有無量幸福的芳心，然而這又怎樣能夠呢！

—— 90 ——

當他倆離別的前一夜，她靜悄悄的走進他的屋裏，呆呆的將他望着，似乎有許多許多別離之話，然而………總不曾道出半句，很久很久的………正在整理行李的 C，從她走進屋裏後，也覺得毫無情緒，不曉得這件橫放嗎？ 那件順放呢？………她笑了！ 她說：

——看你那種神情，便整理到天明也不成功！ 讓我來………她馬上便動手替他整理。

——現在甚麼時候了？他表見一種很恍惚的問着。

——快十二點了！她望着他屋裏壁上掛的時鐘說。

——那末，鳳妹！你也該去睡了！ 他很張慌的催促她。

——你呢？ 她歪頭笑着問他。

—— 91 ——

——我總得把行李整理好了。他很堅決的說。

——那末，乾脆等到我替你把行李整理好了，才去睡罷！

——不勞你了！我恐怕！……•••• 他表見一種懷疑的神情說。

——怕什麼？………•• 父母都是睡去了的。 她很鎮靜地答着。

——那是這個！ 我怕將來要……要同一個素不認識的廣東人決鬥呢！…………

——你又來了！ 那不過是珊妹一時騙着你玩兒的，你便信眞了嗎？

——不是說他曾經留下一顆金指戒給你做聘儀嗎？ 他很正經的問着。

——那裏的話？………·那裏的話！

她眞怒極了睜眼瞪視着他。

— 92 —

——啊!天哪! 我恨我不能夠把我的心挖出來給你!………

她馬上伏在書案上咽嗚的哭着,她那淚珠直如雨滴一般的滾下。

他深悔剛才說的話太過分了! 匆忙跑去用雙腕加上她那很柔軟的肩上,一面勸慰着,一面用手巾替她揩乾淚痕,到後來他倆接了一個長時間而很甜蜜的吻。他顫慄的問:

——我眞不願意離開你,但事實上我又不能不暫時離開你,我總怕你……… 你能給我最後的證據嗎?

——你安心去罷! 我的心便是你的心!我早已認爲我的一切都是你的,決定替你很珍貴的保守着,等待你回來都付給你………

一個全憑煤油燈光映照的書室,此時由靜悄悄的境地而趨於黯淡淒涼之鄉,她竟含着滿

—— 93 ——

眶離別熱淚一逕去了！

　　C君自到 S 地以後，已曾給了她五封書，經過了一月工夫，才接到她一封書——最末的一封書！那書上寫道：

　　　　——我親愛的C哥！ 我們的別離——愁慘而沉痛的別離，快有一月了！ 從你離去我後，我僅僅得到你兩次信——一封是你抵 S 地略述你平安行程的經過，一封便是今早從綠衣使者親手遞給我的；據你的信上紀載是 No.5，這不能不使我十分懷疑了！ 他們近來對我的態度改變得多，然而我總是默視着；有時我恍惚也能聽到一種可怕的消息——關於我婚姻的決定，若果不幸是實在的，那末，直如同宣告我的死刑了！ 我親愛的 C哥啊！ 你那孤寂零丁而無依靠的弱妹，怎能夠當得起他們的摧

殘嚙！有時我想起你給我那種親密而真摯而甜蜜的愛啊！我真厭惡他們了！我當他們是青面獠牙的鬼差，殘暴饕餮底猛獸，隨時向着我獰笑，我真畏縮了！我真膽怯了！縱然有時具有反抗的心情，但終沒有實行抵制的勇氣，可憐我畢竟是個弱者嘸！ 如果早明白有現在這一幕——愁慘的一幕，那末，我無論如何總不放我親愛的 C 哥你去，相信你能夠助我一切………即或不幸而死，死也在你的面前，定能得到你那很熱烈而無虛偽的淚珠滴潤在你那可憐弱妹的遺骸上，我那不昧而無瑕疵的靈魂必能感受到十分的安慰！到而今………我是一人了，我真是一人了！ 我真是世界上最孤獨最苦痛的一人了！ 哭着，愁着，呻吟着，…………都尋不出能夠和我彈出同調的人

—— 95 ——

來！ 他們還從厭棄我的心情中說道：「小孩子家懂得甚麼苦痛呢！」 我眞是小孩子嗎？ 我眞不懂得苦痛嗎？ 我親愛的C哥！我料你聽得這個話時，一定要說：「太把人小視了！」確實的！…… 他們小視我到也不關緊要，但成心急迫來殘摧我，眞未免太沒良心呢！現在我才知道父母之愛是虛僞的，養子女的最大的希望是圖能供給他們桑楡晚景的歡娛， 所以有時便剝奪了子女的自由，誣蔑了子女的人格，却也假作聾啞毫不顧及了！直把子女當作他們的圖歡犧牲品……… 啊，虛僞的愛！ 我親愛的C哥啊！ 你當能囘憶那暮春月明之夜呢！那時我倆是何等的快愉喲？天空朗朗的明月，映照在你的綠紗窗上，我一氣滅了那倒明不暗的煤油燈， 靜悄悄的書室越覺得清

— 96 —

涼有趣，於是你彈着悠揚的琴音，我摩着你的肩而朗聲歌着：「月明之夜，」「落花流水」「春之夜，」………很久很久的！ 我們的歌聲越有勁，那映窗的明月越光輝，小小的書室，變爲了幽雅的瓊樓，直到我的喉嚨乾燥了你還興高氣揚的彈着，我才用勁的按你的肩一下，琴音頓時消失了，你便將我摟抱在你的懷裏熱烈的一吻，啊，熱烈的一吻！ 我到死也不能忘去！ 你不是還笑嘻嘻的說：「願年年歡娛如今夕」嗎？ 那時獲得一種光榮而熱愛的我，眞不曉得人生還有痛苦！ 更料不到還有最沉痛的今朝！啊，無情的宇宙！ 悲哀的人生！ 那可怕如同宣告死刑一般的消息，是從珊妹和我笑談中露出來的，她說：「我看你還是這般的俏皮，明兒嫁給那個軍官姐夫，我才

叫你夠受哪！……」我起初尚以爲她是在造謠，到後來她直說了那婚姻的經過，結婚時期便在今年殘秋九月………… 我不能不信實了！ 親愛的*C*哥啊！那時你的弱妹的心中是何等的難受的！ 他們眞也是太討厭了！爲什麼買許多紅的綠的帶花的……………嫁奩一類的東西？指着這件望着那件追問我樂意不樂意，然而我總是不看也不則聲；在他們那種卑劣的心情中總以爲我是默認了！殊不知我是絲毫沒有介意呵！有時我還得悄罵幾聲：「甚麼東西？ 甚麼東西……」*C*哥！ 那些物件的本質幷不見得十分壞，不過我總認爲牠祇配給「少奶奶」「姨太太」用的，我不配用！ 我也不願意用！ 同時他們要想改正我的頭式，叫我學梳甚麼*S*髻？啊，*S*髻！那是我願意我

— 98 —

應當梳的嗎？我親愛的C哥！ 你不是說雙
髻是唯一好看的頭式嗎？適合於處女時代
的頭式嗎？ 結了婚便可剪成披髮嗎？ 我
相信這是很真很好的；除了照定你的話去
改變我的頭式外，我決不梳那「少奶奶」
「姨太太」式的S髻！ 關於這點他們也罵
我許多次，然而我總不會犧牲了我的定見
去服從他們！ 我也不管那個是甚麼軍
官不軍官，便是………我也不愛！ C哥！
我已認定你是我的唯一的愛人，也許是我
生生世世的愛人！ 便是宇宙倒滅了，我倆
的靈魂也得是永遠聚集，親愛的C哥：我倆
是應該這樣的啊！ 我親愛的 哥！你不
是說要明春才得回來嗎？但這一剎那便到
的殘秋九月叫你的弱妹怎能度得過去嘞？
我祗好………拼命一死罷！ 死，我是不

— 99 —

怕的！因為我是為純潔而沉摯的愛情而死，
自認也十分值得！那死的祇是我那毫無勇
氣的屍骸，并不是我那純潔而高尚的靈魂，
到可以隨時隨刻飛繞到你的身旁，比較偷
生在那鬼怪一般社會裏，到也超脫得多！我
本想不把這個惡劣而沉痛的消息來傳給
你；省得擾亂你那向上的心思！　但我恐怕
………恐怕你將來陡見着我那白楊蕭蕭
的荒塚，你的犧牲越大呵！所以才在臨死以
前忍定苦痛把我那希望你的心情略述一
述：C哥！我親愛C哥！　你切不可因為已死
的弱妹而悲傷而頹喪而墮落而無聊！……
……要曉得你那弱妹的靈魂，還在白雲深
處的太空盼望着禱祝着你的成功——事業
上的！C哥努力，C哥努力！！　那站在天國
樂園裏的「愛之神」呵，她定能夠安慰我

—— 100 ——

的苦痛，定能撫貼我的靈魂；我將要誠懇而沉痛向她述說我的不幸，我的………精魂將永恆的聚繞在那「愛的樂園」之門呵！等到你後來解脫的那一天我將很熱烈的歡迎你，纔慢慢叙述我們的前生………C哥！永訣了！ 永訣了！ 這離恨箋上滿浸着沉痛而永訣的淚痕，C哥，你吻罷！ 我願意你很甜蜜的吻罷！

　　你那覺魂未離軀殼前一刹那的鳳

　妹——

　C君的淚珠已從那熱眶中汪汪的流出，一點一滴的溜在她的泣血書上，直把原有的舊痕都浸寬了！但他似乎尚不覺得，一直哭到他昏沉沉的軀在床上顫聲說道：「可憐的鳳姑！ 可憐的鳳姑！………………」

— 101 —

失　戀　底　哀　聲

── 菊　生　筆　記 ──

春殘到老絲方盡，

蠟炬成灰淚始乾！

──李商隱

〓

人事的變遷，眞如淺薄的電影一般的閃爍；

令人有許多抓摸不得的。

── 102 ──

我和她的交際約摸有二年多了，在這已逝的途程中，我也不能說她完全有沒愛過我，不過真如淺薄的電影般的那一閃，實在是我料想不到的嗽！然而，…………這最末的一幕，也許還是我自家排演出來罷？ 確實的，這完全是我盲目的罪過！

現在我仍然是這樣的沉寂，這樣的空虛，這樣的暗室，這樣的板牀，這樣的…………黑黯沉沉的籠罩在我的前途。 夜闌人靜，直躺在那孤另而冗雜的板牀上，想重溫我和她半年前經過的「愛程」，簡直亂如絲夢 祇有從一個尚留在那不燃不滅的心弦地小小希望底舊痕上，一經一緯地慢慢理起。

那時我總懷着無邊的希望，以爲優美的人生，在我們不遠的將來，決會光明燦爛着在那意想中美滿的小小家庭裏。

不僅如此。在半年以前，我┐沉寂和空虛，并不是這樣毫無解脫的，决常常含着一種期待，期待梅影到來。 在久待在急躁中，**忽聽得高底皮鞋觸路的清響聲，是這樣使我的心弦驟然蕩漾起來呵？** 於是，她那美麗如春桃般常呈現很明顯的底笑渦的面孔，玲瓏而窈窕的身材，着件合體醬綠色的旗袍，從我急促捲起的**布帘外珊**珊的步將進來，我照例的順手接過她的那條白色的綢頭巾。

現在呢？ 祇有沉寂和空虛……依舊，梅影確是也不再來了！而且永久，永久的。

梅影的偉大能力，確能夠改變我屋裏的空氣，假如她一時不在我的屋裏，總會感覺到祇是沉寂和空虛，呆呆的直躺在那板牀上，睜眼凝視那紙裱的天棚一語也不發；……恍惚從雜沓聲中傳來一陣高底皮鞋的履步聲，便如獲得解脫

的寵鳥一般，頓時從板牀上挺身起來急促的跑去探望。假如這樣很熱烈的歡情被那素不相識的人佔領去了，那種失望而頹喪的神情，眞同得不到主人的安慰的喪氣之大不相懸殊！眞等到梅影果眞來的時候，才能消失下去。 這樣的情形，我在半年以前，一禮拜內至少總得有兩次。

她如果有二天不來了，我必掛上手杖很匆忙的去看她，然從得到的是她家庭對我的猥褻和蔑視，我也不覺得有怎樣的難堪，因爲很知道梅影明白我這完全是爲她。

橐！橐！橐！橐！ 一步響似一步的皮鞋聲，我便匆匆的捲起布帘來注視她的笑渦，如一樣的含在那春桃般的面上，料到她在家幷沒有因我受過氣，我的心寧適了！ 在我們相視一笑後，平常覺得很沉寂而空虛的暗室，此刻已被笑談相雜的聲息溢滿了。

我如有時談到舊禮教是怎樣的束縛人，舊家庭是怎樣的頑固不化？……她必很激昂，很堅決的說：

——我，是我自有的！我有我的自由，誰能束縛我的一切？

同時發出一種瀰漫着稚氣的奇離的眼光，直射入我那不明其妙的畏縮心坎，使我興奮，使我果毅，以至于永遠深埋而不能夠消滅！我終于透述我的意見，我的身世，我的缺憾，我的一切，都少瞞隱；她似乎已了解我的。現在我如有時想念及她，必定連想到那時她的堅決而勇敢而激底的神情。

二

有一次我和她漫遊在楊槐成陰的夾道上，正是那「春之神」散漫在人間的時候，一陣陣

馥郁的香風從軟塵中蕩漾飄來；那噪跳枝頭的燕侶，也正唧唧喳喳的嚷着，表見一種很適意的神情；我們將是怎樣的沉醉呵？ 尋出一個捷徑跨越了板橋，並肩坐在綠茸茸的草地，從陰濃的樹枝疎縫處望見了蔚藍的天空，淡淡無雲，惟浮着漣漪漾日；她凝視着——那燕侶呼傳而動搖的樹梢，直到她的兩頰緋紅才低下頭去，默默底尋思，……那時我曾經很仔細的研究過我應當表示的態度向她表示，應當述說的言詞向她述說，以及倘不幸遭了拒絕以後的情形；然而，臨時都歸無用了！ 張忙中的一發，祇用在銀幕上看過的方法了！ 有時一念到當日的情形，就使我感覺到十分的慙愧！在我像枯葉般的心弦上，却留下一點永遠難滅的遺痕，至今還如暗室孤燈一般，照澈我們當日的情況——含泪握着她的手，用左腕緩緩的加上她的肩。

— 107 —

不但我自己的。便是她那時語言和行動怎樣？ 我也沒有看得很清楚，不過我總覺得她是已經允許我了；才如嬰孩似的投入她的懷抱，慢慢的張開我的淚眼，從嘴唇向上細看直到眉梢，覺得她的兩頰現出了一種從未見過的緋紅；同時射出一種驚疑萬分而悲喜相參的眼光，縱想力避我的視綫，然而終于接觸了！ 但驟然的她又看到別的地方，默默底經過了偌長時間，我們才熱烈地接了一吻。

我也不大清楚那時怎樣能將我那熱烈而純正的愛表示給她？ 不但現在，便在事後我便也是模糊。然而她卻甚麼都記得：我的言語，她能滔滔如流水般的背誦；我的舉動，正如那時拍照留下的一張影片，隨時呈現在她的眼簾，一幕一幕底追述得出，很紐微，與當時的實況不大差別。 每當我們對坐在屋裏時，我總得受她的考

試，照例重溫舊事 却常常像一個不及格的小學
生，須她糾正，須她補充。

那溫習的工作愈勤，我們的感情便愈濃厚，
她的態度愈覺嫵媚，笑渦也愈覺顯露；我常常摟
抱着她那柔軟的細腰很熱烈的吻着，她的笑渦
愈深；我的接吻愈熱，互有一種不能相持的神
情。

最使我難忘的，就是在我們訂婚不久我的
病中，精神上的安慰，却能勝過體魄上的損失，
我將是怎樣的感激她喲?!

很柔和的梅影——縱然現在是盡量的顯露
她那狡猾的面目，然而那時候，她却像負有責任
的慈母，很殷勤的撫慰我，她的鮮花，她的食品，
她的……真使我感受得來悄地流泪!—— 我想
落宕無跟的我，在這不情的人世中，却覓到如此
矜憫我的人，未來的幸福，是將怎樣的燦爛呵?!

我感謝她，深信她，禮讚她，……簡直認爲我們是很美滿的結合！然而，現在想來却如春蠶作繭自縛，我不能自禁我那沉痛的眼泪呵！

在已逝的暑期中我是怎樣的幸福？像稗子般沉迷地在慈和的母抱中，感受她無上的寵幸，竟造成我是一個無畏的驕子。 翠柏蔭下，不絕的是我們徜徉的形踪，直到明月橫空，映照得荷花錦繡，樹影婆娑，相偎相倚却同成對的沙鷗，感覺得幽趣橫生！…… 即到夜闌人靜，陡想及衣箱的空虛，皮夾內的當票冗積，以及來日的需用沒有着落，不禁埋怨到家庭的寡恩，人類的無情！在痛恨一番以後，必提高我的驕傲和反抗。

我縱然是一天困窘一天，然而對于梅影的需要，確千方百計的掙扎着；畢竟虎皮是稀薄的，怎能敵得過他那銳利的觀察！無情的金風，直吹得我像梧桐一般的飄零！

── 110 ──

三

金錢和虛名本來最足以使青年顛倒的，尤其是在我們這個病態的社會裏！ 那時的菊生，縱然是沉迷了婚姻自由和家庭脫離了關係，從血汗取得的酬金——四五十圓，和按月寄到的二十元貸款，除去了生活剩餘的到也不少,在不知道我的身世的人，那能判斷我是失了憑依的呢？

唉！無所不知的上帝,誰能瞞得過你喲?!當我脫離了我的專制家庭，走向「愛之美圍」的道上,不但是為我個人謀幸福,同時却想替那些同病的人作先鋒;那時的氣慨,也不容瞞無所不知的上帝,我自信亦可高比雲霄,……即到不幸的受盡了她的誘惑,她的欺騙,也許祇有無所不知的上帝你知道呵！

— 111 —

在我和她定婚的四月後，便有人告訴我說她別有戀人；然而，那時正在沉迷中的我，怎能夠相信這樣不合聽聞的消息，也許還得疑忌是別人有意離間。 後來，我在無意中識透了她的秘密，誠懇的向她說；

——梅影，我們的結合是以人格為擔保的。誠然是有許多地方和你不大適合，然而兩年多的相處，實無半點齟齬，我常當你是我的妹妹般待；如果……能繼續我們的友誼也何嘗不可……你總得誠懇的告訴我罷！

我不知道是她內心的天良發見？也許是因為我的疑惑，施展了她唯一的欺騙手段，她竟發誓的向我哭述：

——菊生，如你果真愛我，那外來的誹語，儘可不要聽罷！……難道說不是別人有意離間嗎？……我自有我的人格，望你不要猜疑我罷！

—— 112 ——

●●●●●●●●●●●●●

自然啦——現在我才覺悟了！人是有性靈有理智的——便是傻瓜，在那求人的時候，總不會便此放手，犧牲不犧牲自然也是顧不到的；我終于被她的眼淚迷矇着。即到她和他宣示結婚的前十天，可憐我還在迷夢之中，這是怎樣的罪過?!……使我深墮恨悔，永世也不能翻身！

本來時髦女子是談不到貞操的，同時可以幹狡兔三窟的戀愛，用盡伎倆去欺驅別人，這是「愛神」給予她們的特權；如果我不認定「愛」是神秘的，那末，當時何必一定要逃婚——竟作了舊禮教的叛徒。 自受了梅影的欺驅以後，更覺得人世的確沒有眞理，沒有曲直！唉，不料我竟成了新舊的罪人呵！ 像我這樣的怯弱之軀，怎經得多次摧殘？ 正如秋雨中的梧桐，連小小匀風波都難支持，還能當那蕭殺的秋風嗎？

— 113 —

　　她的愛人的身世，家產，……自然是較我優美得多，這是上帝對他獨厚，我也不能怨他。不過狡猾的梅影，總不應暗設圈套來矇蔽我！　然而，她不那樣的誇欺，怎能表見得她那高妙的手段呢?！

　　現在，我也不能不說了：

　　——梅影，你在那萬籟無聲的清夜裏，細細思量我們經過的「愛程」，恐怕你不僅僅是我名義上的未婚妻罷？　然而，我若提起當時的情境，不但不能使我感受快愉和誇耀，在我有了皺痕的心情上，總覺得留下一點不可磨滅的創痕！……你能爲我懺悔嗎？　你能爲我懺悔嗎？……無所不知的上帝，終歸是瞞不過你的呵！

四

　　自從經過失敗以後，我便貧病顛連，一跌難

起！牀頭呻吟，慰語無人，祇有那窗外的梧桐落葉，蕭蕭瑟瑟的伴我零淚到天曉；無情的秋風，偏到晚來尤急，從破窗淜淜吹入，直刺在我沉痛的心窩，連珠似的眼淚浸遍了破爛的枕褥，但是有誰知道呢？……她正沉睡在他的懷抱之中，春夢酣濃，還能想得到飲泣在破室中的菊生嗎？唉！宇宙誠然不小，然而除却這樣的空虛，這樣的板牀，那兒還容得我插足呵？！

在這淒寂深夜中，惹起了我當日離家的回憶，我記得，我深深切切的記得，——那時候的 **C** 城，正是新文化澎湃的時期，我縱然是個年紀不滿十八的青年，對于婚姻自由的主張，確是極端信仰的；不湊巧的殘冬，偏從專制家庭拋出了堅牢的束縛，幸虧我悄地逃婚了！……我一走誠然是戰勝了不自由的婚姻，但那不情的宇宙，殘酷的人類，却像狂獸一般的張開爪牙，嚙吞我血

—— 115 ——

肉，可憐我臨到末日才有些覺悟呵！

連瑣似的思想，整個底浮現已逝的途程，上帝！像這樣慘淡地過去，徒使我心痛增劇！ 我不禁自詛道：

——像這樣無代價的生命，愈早完結愈好！……假如我能夠立刻投身到巨浪的海中，藉波滌濤洗我的污穢——舊禮教的恥辱，新學理的玷污，……到也比較乾淨得多！倘若苟延殘喘，那黑黯的前途，愈覺得骯髒可怕！……像我這樣墮落的青年。有誰能爲我原諒一點？……

我愈想愈痛，後來竟于大哭了，也不知是什麼時候暈了去；即到第二早晨被呼驚甦轉來，睜開眼睛，陡看見那豺狼似的梅影站立在我的牀前，我不禁猛然向她撲去，依舊絞腸剜心的昏過去了！

唉！大限快臨了！在我昏瞶的十數日中，也

不知道一般人對我是怎樣的批評？——然而，我祇求快死，也顧不得許多；卽或在我果眞與世長辭以後，人們會表出一些是我不甚需要的同情罷？！

近數日中，我恍惚間也會聽見關于梅影對我的懺悔，她感覺以前一切都是她的罪過！……她不幸作了金錢的奴隸，虛榮的犧牲品！……她常在寂無人聲的深夜，爲我流淚，爲我禮禱，爲我祈福，……唉！這類的消息，不但不能使我獲到安慰，祇徒促短我的歲月呵！……

一六，八，七，上海。

—— 117 ——

一般爻母的心

砰！砰！砰！一陣很急促底敲門聲，把禿坐凝思的白浪從似夢而實非夢中驚覺了。

——誰？

——掛號信，先生。

於是很匆忙的開了房門，順手接過那封信很仔細的看了一下，「單掛號」三字，竟把他那種驚喜的神情頓時消失了！好容易才從抽屜中取出戳記來蓋了一下；無精打采的仍舊呆呆坐

——118——

定,⋯⋯⋯後來 他長歎了一口氣,定─定神,才發覺面前書案上還有─封未啟的家信──單掛號,刻不停留的用口涎沿着信尖潤濕了一周,用勁担開,拖出了那張訓條一看:

──頃聞汝沉湎女色,無志于學,何乖謬之甚! 吾中華以禮教立國,四千年來無稍更遞,人倫雅化,實基於兹。 乃降至今日,世風披靡,社交公開之說起,戀愛自由之議倡,一般學子,竟以時髦爲務,馳騁戀場,不遺餘力,以致廉恥湮沒,道德沉淪,實不知置男女授受不親之聖訓爲何如乎?夫以長卿之才,文君之麗,後世猶詬爲穿窬,況今之「西洋病」者歟? 商以妲己而亡。周以襃姒而滅,女色之不可親近也明矣!汝旣列士林,當膺聖訓,修己立人,理國興家,此豈僅洒翁之所希,而實族黨戚友之所厚

望於汝矣。 汝宜潛心志學，練為幹才，以為將來出仕理民之用；光大里閭，發揚宗族，實惟汝是賴；汝宜好自為之！───哦！哦！……

白浪似乎有許多說不出來的苦痛，表見一種很愁慘的神情，祇是欷愴着。

一盞被油煙燻得呈黯黃色的洋燈，映照得滿室異常黯淡，他很頹喪的直躺在板牀上，打量未來的前途，祇覺得有些縹緲。 但是，父母和族黨戚鄰的希望心，是怎樣堅決而誠懇的！ 假如仍舊一點事務也不懂，那末「落伍」便是入世的第一聲，還能夠副他們的希望嗎？「出仕理民，光大里閭，發揚宗族，……」那是怎樣的困難？怎樣的偉大？ 他顫慄了，結底發出了「危險，危險！……」的歎聲！

噹！ ！噹 隔壁屋裏的時鐘聲，在靜悄悄的

深夜中愈响得有勁；驚破了他的夢境，不知怎
的,他那沉痛的眼淚終于脫眶流出了!深悔在中
學畢業後不應該強意升學，那時一切有關係的
人，總不會像現在這樣地希望着,縱然是百般的
潦倒,百端的無能，也不見得十分使人看不來。
現在，誠然是得稱「學士」了，然而偉大的希
望.縹緲的前途.却同時籠罩在頭上來，這是怎
樣使他瑟縮的？ 無論如何總是不能睡去。

他回憶起當年離家的情形：

——白浪,你要明白你自己所處的地位,總
得要從正經入手,努力前途？ 現在時髦的青年,
都中了「西洋病」,整天祇是鬧甚麼「社交公
開,戀愛自由」,你可不要那樣的無聊呵！

—— 是的,我一切都很明白,不過……那未
來的前途,實在我不敢自料！

——那你總得努力！ 我們梅鎮上有多少能

— 121 —

够遠跋萬里留學的人？你現在也是全鎮的青年的模範，總得幹出一番事業，能夠使人敬佩才是！

——謹遵教訓！

這是他在他臨行時和他的父母的談話。那時梅鎮上和白浪有關係的人——族戚鄰友，都在按班次遞的大張別宴，餞別將遠學萬里的白浪。

緊鄰的 C 翁夫婦，是他二十多年的老鄰居，往來是異常親密的。在白浪留學的聲浪傳播到那對老夫婦的耳中，便從歡喜中表見一種很羨慕的神情，成天的携帶了剛有十二歲的愷兒來看白浪，便連續不斷的說：

——愷兒，你看你的白浪哥他是怎樣的幸福？從前在省城讀過四年畢了業，現在還得到北京留學去呢！全鎮的人，餞行的，送物的，……

—— 122 ——

—— 138 ——

這是怎樣的體面呵？！

——爸爸，我將來能够學得白浪哥到好！

愷兒很乖覺的向他的父親說。同時又跑去握着白浪的手說：

——白浪哥，你能教給我一個方法不？ 能够像你現在這個樣。

愷弟，你的幸福是無量的，努力的讀書罷！

白浪一面說着，一面用雙腕加在他的肩，有時也撫摩他的頭。

C翁喜歡得來哈哈大笑了，大聲嚷着：

——愷兒，你的白浪哥將來一定要做官的：白浪哥，望你多多的照顧我們的愷兒嚇！

——做官？那我真不敢說。我讀書的目的，也不在那做官不做官的問題，祇想藉此多增長一點智識呢！

——你將來一定是要做官的．……

—— 123 ——

剛說到此，白浪又被戚朋邀入宴會去了。梅鎮一時布滿了羨慕的空氣，便是從來沒有到梅鎮的村童，到此刻也被他們的父母携帶來瞻仰那位行將遠遊的白浪。　及到臨行泛舟的那一刹，江邊送別的人——男，女，老，幼的歡噪聲，江流中的盪槳聲，相誌着到像發出一種共鳴的樂調；那時熱鬧的景況，眞能使白浪感受到無限的快愉。

不但如此。便是他兩年前暑期回家的情境——父母的優遇，族戚鄰友的重視，幷一般人的佩仰……都一幕一幕的重演到他的眼簾，終于忘情發笑了：

現在的行動怎樣？思想怎樣？是不是果能夠完成他們的希望？……他不禁瑟縮了！　終于感到十分的慙悚。

望兒子升官發財纔送讀書，那末，讀書的兒

—— 124 ——

子的最大任務，便是要能夠顯親揚名；但是……談何容易！……

他懶懶地朦朧睡去了。那「談何容易」的歎息，似斷似續的仍舊說着。一定神便見了他的父親，板着嚴厲的面孔嚷道：

——孺子！我爲你讀書的費用，連心血都快枯了！既曉得升官發財不是容易事，那你何必一心要留學呢？你看看那些戚友們，他們是怎樣的希望你的成功，你却怎樣的低能，哼！

白浪的視綫不得不回顧到他的四周，覺得那些團坐在他家的客室裏人；嚷的，歎氣的，蔑視的，……種種怪態，實在可也使他感到無限的恐怖！

稠人中有個鬚鬍班白的老叟——便是一般鄉人稱呼的三公公，據說是個雙料秀才；他抹着美髯說：

　　──從前科舉時代，我們進了學去應考，還能得到秀才，舉人，進士，……一類的頭銜；皇上也得來一道：「諭旨，勅封孝廉……」的匾額，別人看見，總得要贊美幾聲：「門楣，世家」。現在，還說甚麼文明了！　送一個子弟到學校讀書，從甚麼小學，中學，直到大學畢了業才能算事，用的錢總得比較多好幾倍，然而收到的效果在那裏呢？　是克肯的，竭力去圖謀進取，還可得到一官半職；不克肯的，便祇配當個高等遊民。　像白浪這樣的低能，簡直是在糊鬧！列位！你們有了子弟，儘可不必送到學校去，省得耽誤了一生！

　　──是的！是的！……三公公的見解，到底是比較我們高超得多！我們在先以爲到學校讀書，便是升官發財的唯一途程，到現在才知道是錯誤了！哈哈！

── 126 ──

　　白浪儼如罪囚一般的在審判場中受大衆的評判，毫無勇氣去抗辯，祇是默默地低下頭去。

　　後來，白浪感覺得很難受了，竭力的想逃出了這個圈套；好容易那位三公公又談到古董的去了，一般人都注意到他的談話，白浪趁着這個時候，忽忙地悄悄跑了出去，信步奔馳，及到消沒了背後的追趕的聲息，才停止了狂跑；然而，阻路的荆棘却十分的莽蔓，縱然是有崎嶇道徑可尋，委實不是他願意而可以履步的，但也祇好掙扎着迤邐走去，越走越險阻，越覺得可怕，他不禁大聲哭着：

　　——行路難！行路難！

　　　　　　　　十六，五，北京。

離別之夜一

在一個黑鼕沉沉的深夜。是他們離別而不可期的淒涼之境，那黃浦江邊像繁星一般閃爍的電燈，都映照在有時波瀾的江水中，一明一滅，眞如替他們——離別之人洒無數同情之淚！輪舟走廊空隙地並立了幾個面呈愁慘而年紀相若的青年,都憑欄凝視着一語也不發，那時除却了不斷的咽聲，鼻嚏聲，誰也想不到那兒還有人！很久很久的……

— 128 —

他和 TS 近來越發的了解了——她憐憫他的身世，覺察他的希望，明瞭他的一切…，他于是毫無隱瞞的透述他的一切，有時感到不寧貼的地方，總像弱弟一般的哭泣述出他的委屈，她常用慈和的態度去安慰他。

他們從北京一道來到上海了。

CW 是她的舊識，在抵上海的第二天，他因爲她的關係也和伊認識了。他本是戀場中戰敗的將士，對于局部的女性，他却是一個叛徒，然而，自從與伊相識後，便陡然患了「維特熱」呵！

在感情最熱烈的期中，他們三人曾聯袂的遊過吳淞，共看那將退未退的海潮；又曾密談在法國公園的草地。 卽到離別的前十日，他們簡直難以分離了！然而，無情的人生，又不得迫促 TS 隻身別去。

——我們一月來朝夕相聚的歡感，將在這一刹那間便要化爲夢幻了！這未來的一切！……*TS*顫聲說着。

我也是這般的想，那未來的一切……真叫我沒有勇氣去想牠喲！　*TS*也含淚答着，

多情的*CW*哭得連頭也仰不起了！……但從嗚咽的聲息內，也可辨別得出一二句：

——不曉得我們的後會何期呵？

——………………………

沉寂而悲哀的境況中，確被全部的嗚咽佔了！「淚添九曲黃河溢」的心情，純是他們同一感觸着。　*YS*很激昂的問道：

——人生便是這樣的苦痛嗎？

——………………………

——………………………

他們近來把人生看得太灰色了！「不懂得

—— 130 ——

人生是苦痛的人們，他如果不是傻角，也便是懵懵無知的小孩！」這純全是他們公認的，於此，可以知道他們心境了！『悲哀原是聰明人的路徑！』

咽聲漸漸的沉消了，TS向着他道：

——SY，我們在航程間所談論的不過是些海上風光，和關于文學的見解罷！然而，蘊結在我心房的悲哀，又何曾向你述出一點！她說着又指CW說：

——我的身世，悲哀的身世，她是很明白的。但我祝福你們的前途，永遠是安寧而幸福的呵！

——是的，我也曾聽她說過關于你悲慘的身世，我總覺得你太被禮教束縛一點呵！……提起當日的航程，更要使我感傷了！就說談文藝罷——我們總會提出幾個文壇上的中外健將—

— 131 —

——歌德，雪萊，伊勃生，太戈爾，魯迅、豈明，郭沫若，郁達夫……批評他們的思想，批評他們的毅力……每當朝暾初上 和夕陽晚照，我們必並肩立着凝視那瞬息萬變的雲天，從遠望中似覺得水天相接了，反映着無邊無際的彩霞；你不是微微的笑着說道：「這一剎那間却有這樣的天然妙景！ 海市蜃樓的說法，想來也不至于純屬渺茫罷？」 那時我們奇妙的心境，可以說是樂極了！到今朝……

　　——到今朝這樣的別離，眞徒增添我們的傷感；我懷想我那老母弱弟，惆悵我那明媚的故鄉，但總不得掛帆歸去，這是使我怎樣痛心的呵？ 聽說川東又有戰事了！…… 觸景傷情，我心中將是如何的難堪咧？ CW說罷又嗚咽起來。

　　——CW，你何苦這等的悲傷！ 處我們這

—— 132 ——

—— 150 ——

個病態的國度裏,除掉了革命還有旁的方法嗎?
TS這樣的安慰着她,又向着SY說:

　　——當我們輪舟航進黃浦江口時,你不是
跑來向我說:「那很像和平景像而不起一點波
瀾的黃浦江已到了。」一面是陰叢叢而可望的
遠山;一面是民房學校花草竹木畢具的原地,都
值得很可賞玩的。　有時我指你說:「那便是吳
淞鎮了。」你看見一羣人奔馳來到江邊,總以為
內中定有你四年不見的老友CW君,指着這個,
望着那個,都說似乎有些像他,那種活潑潑而渴
望的神情,真更我看着有些發噱!　「那不是滿
載兵火鎗礮的外國軍艦嗎!」高懸着不同的旗幟
在空際不停的飄揚,似乎表見牠祖國的威風;你
不是很激昂的說:「這便是帝國主義征服弱小
民族的唯一的利器!　愛國救國的民衆呵!怎樣
不聯合起來一致奮鬥呢?」據你的談話看來,雖

　　— 133 —

不敢便認你是救國的中堅，總可以說是具有革命性的青年；然而，從到上海以來，多結識了幾個赤裸裸而具有鮮紅熱血的朋友，到反轉罩上了牢固悲哀的心情和沉痛的思想呵！……

——悲哀罩上我那可憐的心情，確是在八年前一個冬天，呵，可怕底冬天！那時幼小無知的我，在刹那間很不明白的竟失掉了終身自由和幸福，到現在却也怕提起那時的光景嘞！說甚麼結婚成禮，也不過像牲口似的同一個素不相識的女人，被牽在一塊兒，參過了天地，拜過了祖宗父母，關在一個屋裏，在名義上也說是甚麼夫婦了？……這樣的也就叫着甚麼配偶嗎？簡直是在作孽！這八年偌長的青春，可憐都消磨在縹緲異鄉的孤另客裡，我竟成了個賫恨人呵！所以便有二年三年……不回家鄉，也不覺得有怎樣的牽掛，不過總可憐我那養育我的父母獲

不到兒子繞膝承歡的樂趣嚙！然而這豈是我的心願嗎？ 自從度過那年可怕的冬天以後，我總覺得十七年——從降生到十七歲——未嘗須臾離去的故鄉已成為獄門了！呵，獄門！ 魑魅魍魎的獄門，是怎樣可怖的呵！ 那些青面獠牙般的冷酷者，還在那兒指着罵着詛咒着冷覷着，叫我怎樣不悲　不沉痛呢？！ 到而今，我也是「等是有家歸未得」的，祇任憑我那無跟的命運去闖罷！ 知我憐我的姐姐嚙！ 你明早便掛帆歸去領受你那慈母之愛了；我呢？ 縹緲無跟而悲哀而沉痛的我，竟至失掉憑依呵！人生！悲哀的人生！ 沉痛底人生！

——*SY* 你也用不着這等的悲傷！你那未來的美麗花園中，尚埋伏着許多蔥蔥鬱鬱的花苞，假如你能夠手執利刃——筆，不稍停留的去剝削牠，決會呈見炫耀而燦爛的，努力的去罷！

——135——

努力的去罷！　　*TS*一面說着，又努嘴偷視着 *CW*：

——她便是你長久的良好侶伴！

「她便是你長久的良好侶伴！」*SY*似乎受了無窮大的感觸，直把當時別離的痛苦都好像消失了一般；想起了在兩禮拜前同她到吳淞去觀潮的情形：從上午直到深夜，都是互相貼慰着，愛慕她的美的心情，却常常流露出來；她也似乎明辨了他的愛意，當她畏縮着，寒凍着，都肯明白說出而願意領受他的幫助。

一條獨木的板橋阻止了他們的去路，*CW* 從畏縮中苦笑道：

——這樣小的一個板橋叫人怎能度得過去？*SY*，你能夠來攙扶着我不？

——好！很好！

——謝謝你！

—— 136 ——

——不用客氣！像這樣的板橋到是比較容易度過去的，像我鄉村裏澗道上的獨木橋，石磴橋，那才叫人眞有些不敢走嚇！

這樣的談着，又走到高聳的的探海燈塔，打從螺旋式的石梯一步一級的登上去，憑膔並立望見那將消而未消的海潮，幷遠眺那汪洋無邊的天際，不禁生出了海角天涯的奇離之感！ 她說：

——我們如能夠長久在此居留，到可領略些一塵不染的清趣；可是！……

那時對景傷懷的SY，終找不出比較適當的話來答覆她；但是他倆的心情中有一種共同的傷感：「身世太把人束縛了！」 很久很久的，纔緩緩的步下塔去。

沿着那蜿蜒而 層級的江堤迤邐走去一直步到海口，那時澎湃異常的颶風呼呼的從海面

—137—

吹來。

——你看呀：那浪濤洶湧的海潮，是怎樣的兇暴？ 這淸波微漾的江面，又是怎樣的平靜？這正是帝國主義與和平政策而差別的一幅天然寫眞呵！

——不錯！眞個不錯！ 我們試擧目看看這世界上用強權去壓迫弱小民族的帝國主義，牠那種強硬而銳利的鋒頭，眞如海浪偉大一般的不可犯，所以那般航海的人們，沒有一個不成一種畏懼心而戰慄的心情，到是很像那弱小民族之受壓迫而不能夠獲得自由一般似的；祗要一航進黃浦江口，輪舟的簸動，搭客的畏懼而戰慄的心情，同時都冰化雪消了，簡直像那久受壓迫的弱小民族擺脫了一切束縛回復他原有的自由一般，呵，和平，和平！和平的江水！柔美的和平！

重重疊疊撲起的海潮伴着呼呼聲中的颶

風，眞像那山林叢中虎豹犀象一般的咆哮，眞可以使人瑟縮呵！尤其是在那濃雲黯淡的傍晚的時候。她終于瑟縮了，指着平闊的江面說：

——還是和平的好！和平中才有眞的幸福！……

——是的：我願世界永久的和平！我愛看和平，更願我愛人的心田是永久的和平！我將隨時隨刻如沉醉一般的酣睡在她那柔美而和平的懷裏呵！

她不禁的跟着他嫣然一笑！那柔媚而含情的明眸，和那深淺合度而可愛的笑渦，都深深印入了他的心坎，呵！明眸，可愛的明眸！笑渦，可愛的笑渦！

後來，四周已被黑黯沉沉籠罩着，她那怦怦作跳心窩越發的難以鎮靜了，恍如酣醉一般的緊緊握着他的手，呵，這是多末的可愛嗬？；……

　　她悄聲向他說道：「不早了！」他們纔攜手相將
的回到上海；以後……

　　現在，並肩在此的CW，仍舊是昔時同遊一
般的可愛！「她是你長久的良好侶伴」的話，恐
怕是TS有意來譏刺我們的罷？　也許是將來可
以實見的罷！　這樣不同的兩個疑難問題，也
在SY的腦海中戰鬥起來了，經過很久很久的
……他結底像癡獃一般的立定了。

　　──夜已深沉了！　你們也該回去休息，暫
別！TS突然這樣的說。

　　──像木偶一般的SY，那時也不曉得該怎
樣的說，躊躇復躊躇！……

　　後來，還是多虧得玲瓏般的CW高聲祝別
道：

　　──祝你一路平安！

　　──祝你一路平安！　　SY毫無主張的隨

聲一樣的祝別。

很沉寂的四周也悄然無語，似乎在替他們惜別！那無情而像虎狼一般的車夫竟把他們載着往那淒涼離苦的道路馳去。

一六，六，十一，上海。

— 142 —

下　　集

墓

這誠然是個小小的塋地，

却貯滿了鮮紅的心血，

每當星月燦爛，

她悽惋着悽惋着啜泣——

「可憐的青春呵！

你來也何遲，去也何促？

祇是在一刹那間——

—— 143 ——

　　　　　竟忍心像逝水般永遠永遠

地向我謝絕！

　　　…………‥ ……‥••••••••••••

「青霄的明月，

　望你把光彩歛沒了！

　要知道——

　　　這個鬼蜮的世界，

　　　不須得你皎潔的映照！

「無羈的淒風，

　你爲甚息了你的風濤

　要知道——

　　　這個灰色的世界，

　　　沒了你更覺蕭蕭！

「自然的苦雨，

　　　　　——144——

你為甚息了你的絲絲？

要知道——

　　這個枯燥的世界，

　　沒了你便失却多少生趣！

「枝頭的鵑鶌，

　　你為甚息了你的啁啾？

　　要知道——

　　　我如是失了你呀，

　　　便難洩胸襟的煩愁！

　　「· · · · · · · · · · · · · · ·

　　　· · · · · · · · · · · · · ·

　　　· · · · · · · · · · · · · ·

　　　· · · · · · · · · · · · · · ·

●●● ●●. ●●● ●●：●●●）●●●●●●●

東方到是快黎明了，

紅日也不禁的跳躍，

但我望你呵——

　望你把呈現後一切一

切的都細細思量！

不用勉強，

不用徬徨！

你若感得闍淡——

　大解脫還是永遠永遠

地長埋！

●●●●●●●●●●●●●●●●●●

　　　　一六：七，廿七，上海●

— 146 —

不安底冥想

淒厲蘊結在我的心房，

撣動着一陣陣不安的冥想，

正如午夜中失母孤嬰般的悲愴，

又正如沙漠裏失羣孤侶般的徬徨！

宇宙若長久是這樣的永刼，

惟存留着無量數的魅魑魍魎！

閃爍着呈綠如黯螢火之光，

—— 147 ——

照出了原始時代底荒唐；

人類竟成了彌羊一般的軟弱，

將任情宰割着毫無抵抗，

精誠難邀牠的赦免，

咽哽也感不動牠的鐵貫心腸，

逞兇是牠的唯一伎倆，

大屠殺纔能感受着與逸豪放！

骷髏成爲了牠的巨舫，

暢飲着鮮紅血液的酒漿，

糢糊了黃河，

望不見長江，

祇有那層層密密底籬障，

像莽莽的荆榛滋蔓在人生的道上

芟夷呵．那得利刃？

開闢呵,早失掉微陽！

我那不安的冥想呵!

你爲甚像火焰一般的燒得我成這個煩燥的模樣?!

不知道這個鬼蜮的宇宙裏,

有誰能表示出很熱烈的同情而携手相將?!

但我那不安的冥想呵!

她却熱騰騰不斷的高唱:

「唧嚱在牆沿的蟋蟀,

你爲甚這等的狂放?

啁啾在枝頭鵂鶹,

你也不要太不自量!

宇宙總有光明的一朝,

像這個不過是病態的模樣！

「天然的美景，

總似乎有些渺茫，

倘若流淌過鮮血呵，

定能夠獲得藝術性的堂皇！

…………………………

我縱然是個軟弱的少直性勇往，

也不得不掙扎着一心向上，

呵，和平之神！我願 將鮮血染透了朝

暾，

貼慰着我那不安的冥想！

　　　　　一六，九，十五，上海●

秋 雨 梧 桐

依稀是神女的啜泣，

依稀是荌婦的嗚咽，

依稀是奔騰砰礡的浪濤，

依稀是銜枚疾走的行軍，

　瀟瀟颯颯，

　淅淅瀝瀝，

呵,這樣黑闃森嚴的深夜，

　却爲甚來這樣悽切的聲息？！

—— 151 ——

聲聲漸漸底促急.

直打破四周沉寂,

憑仗了稀薄的電光,

映照着連珠式的簷溜.

　一陣涼風,

　一陣落葉,

我奔越的心靈呵——

却隨着這個聲息漸漸的促急!

飄零的梧桐落葉,

你為甚呈現着傲慢般的愉快?

我想你——

定沉迷着無羈,炫耀着自來;

但你何曾知道呵——

你已委身在那污穢的塵埃!

—— 162 ——

苦雨飄零了你的體魄,

淒風摧殘了你的生命,

你是真能解脫嗎?

潛默着一任牠們殘酷的蹂躪!

但牠們魑魅魍魎的賊心!

　　對無抵抗的弱者是越發的無情'

這個荊棘莽蔓的原地,

藏着了無量數的鬼蜮,

誰能爲你洒幾點同情之淚?

誰能爲你噴幾口鮮紅的心血?

但你莫要懊悔呵——

　　要不生才能說是無上的解脫!

　　　　　十六,十,一,上海。

假如我能够

假如我能夠毀滅了宇宙：

　　甚麼叫着强權？

　　甚麼叫着屠殺？

　　甚麼叫着爲狗？

　　一切一切…………

　　都隨跟着這個毀滅化爲烏有.

「烏有」才是無上的解脫,

「烏有」才是眞正的自由,

— 154 —

弱者呵——

　你願意嗎？

　你禮讚罷!

　擁護着聖潔的「烏有」永久

存留。

　不曾見美園中顫放的花枝,

　　牠是怎樣怎樣的嗚泣？

　祇因是——

　　祇因是受不了蜂蝶的吮吸

　到了春殘凋零時,

　　牠却高唱着;自由,解脫!

　春鳥歌的是悲闋,

　蟋蟀叫的是戀詞,

　　牠們同一希望着:

　　希望宇宙是永遠的長夜!

——155——

也許能够——

能夠達到永無留痕的毀滅。

一六，七，上海。

夢

（一個寂寞孤另的春夜）

突地邁步在那荒涼而幽僻的孤

全憑着半蝕的殘月映照：

　白汪汪而湍急的瀑布，

　激撲着波濤洶湧的海潮；

　從颶風裏播傳來一種哀音：

「人生縹緲！人生縹緲！……」

慌慌的竟迷失了歸程,

掙扎着直往前奔,

　身如燕般輕,

　跨越了崎嶇巉險的岡嶺,

　呵;那不是巍峨而壯觀的「永

生」之門?!

　遊遍了蜿蜒縵迴的欄杆,

俯瞰着萃卉叢芳的美園,

殘日竟模糊:

　辨不出枝頭的紅綠鮮豔!

清風蕩漾來淒涼而幽婉的歌聲

似唱道

　『良辰美景奈何天!

賞心樂事誰家院?

— 163 —

．．．．．．．．．．．．．．．．．．

觸動了我的悲抑，

更難堪身世的縹緲，

問:『何處是瓊樓玉宇？

　　何處神仙到？』

從雲天迸出了霹靂的一聲，

　　好像虎狼般的狂嘯；

我那不安的心靈呵，

　　將是怎樣的縹緲？

但那沿簷點滴的苦雨呵，

　　遝濕濕的滴破春曉！

　　　　　　　　一六，四，北京．

恨 之 網

這煩愁迷惘織成的「恨之網」呵
　你真如冰塊一般的凝結在我的胸
膛!
　我縱沒有像那陣亡的將士露骨拋
骸在疆場上,
　但我那不安的心靈呵,却感受着永
遠的渺茫!

—— 160 ——

大千萬彙中呈現着什麼？
將有什麼呢？除却了互相創傷！
不,這正是做英雄定有的勾當;
彌羊般的弱者呵!你須得謳歌頌
揚？

人世便是一個劇烈的戰場,
重重疊疊底祇有煩愁,迷惘!
煩愁,煩愁!迷惘,迷惘!
將一層層的蒙蓋上弱人的胸膊
上.

你沒妄想着永恒無疆,英雄!
這永恒無疆呵,祇有那終古常新
的太陽;
但我問你:能否有太陽一般的熊

— 161 —

熊之光？

　　恐你那自高的心靈呵,將有時感
覺着頹唐!

　　揭開已逝的爭鬥的刼程,

　　英雄呵,那功利名譽誰能保不隨
跟着棺槨消亡?!

　　但你那是否果能千古的心境,

　　總應虛懷些,不可十分的自尚!

　　我縱受了「恨之網」擯擠得不
成模樣,

　　但我也曾像你呵,像你一般的妄
自高尚,

　　不過呢!我却不將「平民化」作
着口頭禪,

更不能暗示那英雄的尊嚴,呵,自
大的「夜郎」!

而今呵!東方已到了黎明的辰光,
那「和平之神」散布着無量的
「醒香」,
爭自由平等的呼聲,已達到那滿
儲彩霞的雲倉,
可憐呵,英雄,你那思想!

逝水般的過程呵,我那堪回想?
祗膡得在心情上籠罩着煩愁,迷
惘!
但我已從迷夢中甦醒過來了,
你看看辰光,英雄!我眞不願意見
你將來像我一般的迷惘!

—— 163 ——

那煩愁迷網織成的「恨之網」
呵，
你何苦仍不斷的對我創傷？！
我若感到了苦悶不能呼吸的時
候：
提防着我的利刃呵，「恨之網」！

　　　　　十六，十，三，上海，

細雨迷濛的秋之夜

細雨迷濛的秋之夜，

添多少別恨離愁的情緒？

我今夕雖然在這裏猛、憶起：

明朝呀！明朝便要撒手別離；

別離的，淒其！別離的，淒其！

一聲聲從不斷的浪花裏湧激。

這黯淡的天宇，萬彙的死滅，

靜悄悄地,靜悄悄地替我們惜別!

我誠然是遠離了你,

但我的心呵,是永恆的留戀在你

的微笑裏;

你那微笑呵,也在我的心中深深

印剌.

我心愛的人呵,願你好自憐惜!

吳淞江畔印下了我們履步的足

跡,

對月叙語呵,相偎在綠茸平疇的

原野;

如此情趣,如此情趣,

我的好人兒喲,願你永恆的追尋

紀實!

那凋殘的花兒已點點萎地，

祇賸下莽蔓的蒺藜，

人生的途徑呵不過如此，

我的愛,望你把一切的苦痛統統
忘記!

今朝縱然是別離，

但來日呀,正有我們永恒聚首的
時期!

採擷,採擷——

那春光燦爛着的紅豆花枝;

到那時節,到那時節,

我們將別後的相思事從頭細說。

一六,十,廿三,上海。

恍　惚

我恍惚看見了伊，

又恍惚伊也看見了我，

　我尚未開言，

　伊更頻向花間躲，

清風拂過——

恍聽得：

　「那個人兒太情薄！」

— 163 —

伊荷着花籃兒曼聲歌着去了，

我便踏着節拍隨聲兒趕到，

　相見了——

　但不言,不笑,

　神情難盡描!

伊仍荷着花籃兒曼聲歌着去了,

我也仍踏着節拍隨聲兒趕到;

…………………………

伊闖入了月門,

我便化作了繁星,

　映照着情海之濱,

　直瞪着那甜蜜而酣夢的麗人;

　隨跟隨跟——

　閃爍着直到天明。

伊若是化作了孤墳

我便化作了杜鵑哀聲:

　　啼到黃昏,

　　哭破黎明,

為什麼?

　　想唱給那些「薄情」「寡愛」

的人聽.

　　　　　一六'六'上海

中華民國十七年四月出版

書　名　　離別之夜

著　者　　鍾紹虞

發行者　　趙南公

印數　1 —— 2000冊

版權所有　　不許翻印

定　價　　大洋六角五分

總發行所上海泰東圖書局

外埠函購　　郵費加一